GINGER
MAUNALOA
FOR YOU A LEI

Hawaii Book

はじめに

Ⓐ ハワイに行くのは、自分が自分でいるため。忙しすぎたり、毎日の暮らしが息苦しくなってくると、私はいつもこの島に向かいます。そして知らぬ間に、深く呼吸をし、いっぱいの笑顔と深く青い海と抜けるような空の青を体いっぱいに吸い込んで、また、自分の暮らす町へと戻ります。地球上に、こんなにも幸せに満ちた場所があることを知って20年余り。ずっとそれを繰り返してきました。

ハワイ通いのなかで、知り得たことは人の温かさだったり、優しさだったり、強さだったり。言葉にするとあまりに脆いものになってしまうけれど、人々が忘れていってしまったものが、ここには確実に残っているように思うのです。もう10年以上もの付き合いになるハワイに暮らし、ハワイで仕事をしているコーディネーターの内野さん（マコト）からは、いつもそんな温かなハワイを教えてもらってきました。

カメハメハ大王が生まれた島・ビッグアイランドと、進化しつつも大切なものを失わずに居続ける島・オアフ。まったく違う雰囲気をもつ場所だけれど、流れている温かなものは変わることがないふたつの島。ここで約1カ月、内野さん、カメラマンの市橋織江さん（おりえちゃん）とともにぐるぐると島をまわってきました。織江さんの写真を見返すたびに、おいしかったこと、うれしかったこと、感動のあまりに涙したこと……、幸せな日々がよみがえります。

そんな織江さんの写真とともに、内野さんと私の大好きでたまらない場所、人、おいしいもの、心地の良い宿泊先などなどをハワイのハッピーな空気とともにお届けしたいと思います。次にハワイに行くときに、ハワイに行きたいなぁと思ったときに、この本が少しでもお役に立てたら、とってもとってもうれしいです。

2009年　初夏　赤澤かおり

M ハワイ島の本を作るわよ！　と赤澤（アカザワ）さんに言われました。もちろん、言われるがまま、ついて行きました。ただ、ハワイ島は広いです。移動にとても時間がかかります。最初は、おしゃべりな僕とアカザワさんは、ずっとしゃべっていました。でもそのうち、しゃべることがなくなってきました。すると、それを察したのか、普段ニコニコして人の話をよく聞くおりえちゃんが一生懸命しゃべってくれたんです。そんなこんなで、約1カ月近くハワイで取材をしてきました。

ハワイ島は僕にとって、ずーっと想像していたようなハワイの景色がたくさんあります。広大なハワイ島に、こぢんまりと、でもしっかりその土地に息づいてる人たちが、それぞれの小さな町で素敵に暮らしています。そこだけまるで時間が止まっているかのような錯覚を起こすほど、優しい空気に包まれていて、訪れた人たちをホッとさせてくれます。

そういう僕自身が感じてきた気持ちが少しでも伝わればいいな〜って思います。

それからオアフ島もやっぱりまだまだたくさん素敵なところがあると思うんです。自分の意識をちょっと変えるだけで、ワイキキのすばらしさをあらためて感じたり、純粋にきれいなまんま残ってるところがあったり……。オアフ島は開発が盛んで、もう昔の、あの頃の姿はないという人もいます。でも、開発で新しくなったハワイを受け入れる気持ちをもったり、そのおかげで見えてくる、まだ残っているすばらしいものの大切さをあらためて感じることができるとも思うんです。

そんなこんなで、これまた、チョッピリでも、そんな気持ちをこの本を通して、感じてもらえたらうれしいなって思います。

ついでに、僕は自分たちの会社でもそうですが、本当に人に恵まれていると思います。僕自身は、本当に何もできない地味な、ただのサーファーです。でも、みんなと知り合って、一緒に仕事をさせてもらって、なんとかちょっとだけ、自分以上に生かしてもらえてると思うんです。このハワイも、僕をちょっとだけ普通以上に生かしてくれているとも思います。

そう考えると、アロハな気持ちでいっぱいになります。みなさん、本当にありがとうございます！　アロハっす。

2009年　初夏　内野亮

Big Island

Contents

Oahu

＊Ⓐは赤澤かおり、Ⓜは内野亮のコメントを表しています。
＊店や施設のデータは2009年5月現在のものです。閉店、移転などしている場合はご了承ください。
＊特に休みの記載がない場合は、基本的に定休日はありません。感謝祭（11月第4木曜日）、クリスマス(12月25日)など、主な祝祭日は休むところもあります。
＊開店、閉店時間が同一のものは、その部分を省略しています。

SCOTT
+
ROBIN

Big Island

A ハワイには、いくら食べても食べ飽きないものが、たくさんあります。そのひとつが、パンケーキ！　朝、昼、これだけでも大丈夫なくらい、どこで食べてもほぼ唸るおいしさにありつけます。だから、ここハワイ島でも毎日パクパク。ハワイのパンケーキって、なぜだかフワッフワッなのに、食べるともっちり。それでいて香ばしさもある。まさに我が理想にぴったり！　完璧なのです。

ハワイ島に着くと、まず腹ごしらえに向かうのがコナのHanama Place（ハナマプレイス）内にある小さなファミリーレストラン「ビッグアイランドグリル」。ここのパンケーキはとにかくでっかい。お皿もお皿で、かなりの大きさなのですが、それをほんの少し小さくしただけのバーンと、どでかいまん丸のパンケーキがドンとテーブルに置かれたときには、そりゃあもうビックリしました。こんなにおっきいの〜!?　と思って。でも、案外ぺろりと平らげちゃったから自分はもちろん、まわりもビックリ。でも、それだけおいしかったんです。で、パンケーキの粉と卵、牛乳などの配合を聞いてみたけれど、秘密！　とのこと。うーん、残念。でもそれでわかったのが、実はここのメニューは、意外なほどいろいろていねいに手作りされているらしいということ。別の日に行って頼んだ、ロコモコのチキンカツバージョンもそれはそれはおいしかったので、グレービーソースの作り方をまたもや懲りずに聞いてみたら、ざっとだけれど教えてくれました。そしたらなんと地元の野菜をふんだんに使い、コトコト煮込んで作るスペシャルなものだったことが判明。侮れないなぁ、ハワイ。やっぱり、いっぱい愛が詰まってる。と、感激したハワイ島到着日、最初のごはんでした。

なんでもおいしいのがここの良さだけれど、それ以外にもチェックしてほしいのが、店のあちこちに飾られた手作り感あふれる魚のオブジェ。クジラや熱帯魚の表情やチープな感じがなんともかわいい。眺めてるだけでゆるりとできます。

M ハワイ島で撮影することが年に何度もあります。その場合、撮影隊はハワイ島へそのまま直行便で入って来るので、僕らはそれよりひと足先にオアフ島から飛んで、レンタカーを借りたり、機材の準備をしておいたりして、その後、皆さんを出迎えます。そのとき、ちょっと時間があるとカイルア-コナの町に行き、このパンケーキとコーヒーで先に朝食をとるのが僕らの定番です。それが、これからはじまる撮影の嵐の前のちょっとしたひとときになるのです。

なんの変哲もないファミリーレストランですが、そんな気取りのないハワイのファミレスだからこそ、心休まるのだと思うんです。ただ、唯一、心休まらないのは、この量です！　パンケーキも普通にオーダーしちゃうと、たとえば家族4人いても食いきれない量で出てきちゃいます。だからオーダーするときは、必ずパンケーキのピースの数をウェイターさんに伝えるか「SHORT STACK（ショートスタック）」というメニューがあったら、それでお願いするのが得策です（SHORT STACKとは、通常3枚のパンケーキを1枚減らして2枚分のパンケーキにしてくれたりするもの）。

大好きなパンケーキだからこそ「もうちょっと食べたいな〜」ぐらいが、ちょうどいいんですよね！

＊パンケーキ（3枚）$5.75、
ショートスタック（2枚）$4.75、＋バナナ$1.75。
写真のパンケーキは、バナナをプラスしたもの。
生地にバナナが混ぜ込んであって、
ねっちりとしたバナナの食感と
もっちりした生地の食感が合わさって、
たまらないおいしさに！
ちょっぴり塩気があるホイップバターが
これまたバナナの甘みにぴったり。

Big Island Grill
75-5702 Kuakini Highway, Kailua-Kona／
808-326-1153／6：00-21：00, Sun Closed／
Map4（P230）

01 | Big Island Grillのパンケーキ

02 | King Kamehameha's Kona Beach Hotel

Ⓐ その昔、キングカメハメハが晩年を過ごした場所ということから、その名がつけられたというホテル、キングカメハメハコナビーチホテル。コナの町の入口に位置しているので、なにかと便利という理由から泊まったのが、はじまりでした。それから、まさかこんなにリピートすることになろうとは……。

お気に入りの理由は、佇まいの良さや、小ざっぱりとした部屋、古くて味のある建物などいろいろあるけれど、一番はやっぱり、ハワイ王朝のものを身近に感じられるところ。フロントから奥のボールルームに抜ける広々とした廊下まで、とにかくあらゆるところにハワイ王朝歴代の王様やお姫様の肖像画、鳥の羽で作ったマントなどがずらりと展示されているのです。到着した日は、とにかく、ぐるぐると何度もホテルの中を散策。そしていちいち肖像画の前で記念撮影をします。あきれるダンナを気にもせず、ひとり肖像画の前に立ち「撮ってー」を繰り返します。まずは正面玄関を入ってすぐのところにある、リリウオカラニ女王とその兄カラカウア王が並ぶ肖像画の前でパチリ。次にフロント前のソファーに座り、歴代の王様たちの前でパチリ。廊下を抜け、会議室のような部屋を過ぎた正面突き当たりにあるキングカメハメハ1世の前でにっこり、パチリ。同じ写真をいったい何枚撮ってるんだろうってくらい、何度も繰り返し、挨拶するかのごとく毎回訪れるたび写真におさめています。自分でもまったく意味不明なんですが、ここに来ると、これをせずにはいられません。

それからまったく関係ありませんが、このホテルのニオイも好きです。使っている洗剤がいいのか、タオルもベッドもとにかくいいニオイ。ホテルってそういうことも大事なことのように思うのは私だけでしょうか？

そんな大好きがいっぱい詰まっているホテルなのですが、今年大規模修繕をするということ（涙）。全然、このままのほうがいいのに！！！　と、スタッフの方に訴えてみたのですが、笑顔で「でも、古いですから」とかわされてしまいました。古いソファーやゲストルームの椅子やスタンドなどはどこへいってしまうのでしょうか？　あ〜、考えただけで眠れません。

＊パーシャルオーシャンビュー（ラナイから乗り出さないと海は見えません）にしか
泊まったことはありませんでしたが、今回、オーシャンフロントを見せていただき、感激！
やっぱりいいですね、オーシャンフロント。見え方が違います。当たり前ですが、目の前、ドーンと海です。
部屋も真っ白に統一されていてシンプル。断然、こちらをおすすめします！

King Kamehameha's Kona Beach Hotel
75-5660 Palani Road, Kailua-Kona／808-331-6390／www.konabeachhotel.com／Map4（P230）

03 | Royal Kona Resort Hotel

A もうひとつ、コナに雰囲気の大好きなホテルがあります。コナの町を奥へと進んだ一番端にあるホテルが、それ。キングカメハメハコナビーチホテルとは、湾になっているコナビーチのちょうど端と端。船のような形と、海にせり出したように見える位置が絶妙だなぁとずっと思っていました。が、それよりもなによりも、この名前！　そうロイヤルコナリゾートホテルという名前、ロイヤル！ですよ。ここもやっぱりその名のとおり、フロントに続く長い廊下にしっかりと歴代の王様たちの肖像画が飾られていました。

それを見て、すっかり気をよくした私は、部屋を見せてもらい、またまた感激！　海にせり出したようになっている位置からとはいえ、まさかこんなにすばらしい眺めとは！　ぐるーっとコナの町が見渡せるのもいい感じ。夜になると、スポットライトの明かりに集まるウツボが見えたのにもビックリ！　さらによくよく部屋を見ると、クローゼットや仕切りに使われている木の感じ、ライト、壁の色やスイッチの様、どれもがそこにしっくりとはまり、とても居心地のいい空間をつくっていることに気がつきました。もしも将来、自分が家を建てることがあったら、こんなふうにしてみたい、そう思わせるニクイところがあちこちに……。

ここに泊まってみたい、そう思わせたもうひとつの理由は、海に浮かんだようなバーの存在（船のように見える、ちょうど先端部分にあります）。夕暮れ時ともなると、たくさんのカップルでにぎわうバーは、少々気恥ずかしいくらいキメキメのシチュエーションで、超ど真ん中、直球な感じだけれど、それでもやっぱり「ザ・ハワイ！」なこの雰囲気を味わわずしては帰れない！と思わせる、すごさがある場所。海を背にして座っていたカメラマンのおりえちゃんに波しぶきがドバッとかかりそうで、何度も「あぶない！」と、立ち上がりかけてしまったくらい、とにかく海が近いのです。

＊バーは昼間は昼間で閑散としていて、いい感じ。
プカプカと沖を行くツアーの遊覧船を眺めながら
ぼんやりするにもぴったりです。
少し塩分強め、なぜだかカニ味のクラムチャウダーと
カルアピッグ、ポチギソーセージ、
マウイスイートオニオン、パイナップルがどっさりのった
ジューシーなピザが、私のお気に入りです。

Royal Kona Resort Hotel
75 - 5852 Alii Drive, Kailua - Kona／808 - 329 - 3111／
www.royalkona.com／Map4（P230）

＊サイミンもうまいです。以前は醤油を入れないと、いまはなんかそのままのほうがうまく感じるようになりました。
それはさておき、麺もの食べてるときの僕ってわりとハンサムだと思っていました。
でも実際は、頬のこけたおじいちゃんのようでした（笑）。

04 | Teshimaのオムライス

Ⓜいま、オアフ島には次から次へと日本食屋さんができています。そして、どこも本当においしくて、日本とさほど変わらなくなってきています。しかも、いろいろな日本食の専門店もできているので、こうなるとなんの不自由もありません。日本食好きの僕にとっては、天国のようになってきた昨今のハワイです。

しかし、20年ぐらい前は違いました。特にハワイ島では日本食なんて、たいていは高くて手が出なかったり、本格的っぽく見えるものでも口に入れると、この味音痴な僕でさえ「あれれ？」と思うほどだったんです。そんなとき「それだったらローカルの日本食に行ってみよう」と思い立って行ったところが、このテシマレストランでした。そして、そこで出合ったのが、このオムライス。当時、オアフ島でもオムライスなんてものに巡り合えるわけがなかったので、まさかこのハワイ島のローカルジャパニーズレストランで出合うだなんて、夢にも思っていませんでした。でも、日本のオムライスとは違いました。中のご飯がケチャップご飯ではなく、チャーハンなのです。なのでケチャップを上からかけて、味を調節しながら食べるのです。それでも形状がオムライスだったので、僕はそれだけで幸せでした。

それから、このホナロの町の少し寂れた日本家屋っぽい外観の「テシマレストラン」が好きになりました。火山を見るために島を南下するとき、必ず通るMAMALAHOA（ママラホア）通りのゆっくりしたカーブを曲がるとテシマが見えてきます。そのたびに「あ〜、寄りたいな〜」って思うのです。

そうそう、オーナーのシズコおばあさんは101歳だそうです。

Teshima's Restaurant
79-7251 Mamalahoa Highway, Kealakekua／808-322-9140／6：30-13：45, 17：00-20：30／Map1（P228）

05 | Coffee Shackのベランダルーム

Ⓜ いつからだろう？　ここにベランダルームがあって、そっちのほうが静かで気持ち良く朝食がとれるとわかったのは……？　もしかしたら、はじめてお店に入ったとき、トイレを借りてそのときちょっとのぞいて、みつけたのが最初だったかも……。

たいてい、みんなお店に入ってすぐ左手に見えるオープンエアのテーブル席で食事をします。高台に位置していてケアラケクア湾を一望できる素敵な場所にあるから、そこで食事をとるのも素敵だと思うんですが、人気のあるお店ということもあってか、なんとなくそこはちょっぴりだけごちゃごちゃしている感じがします。はじめは僕もそこに座ったような気がします。でも、そのとき座ってすぐ「トイレ、トイレ！」になってしまったので、トイレに行ったのです。ホッとしてトイレを出たとき、ふと、ちょっと奥に続いている廊下の奥が気になりました。そうなるとつい悪い癖で「ちょっとぐらい怒られても見てみたい！」と思ってしまい……。怒られること覚悟でこっそり奥に向かって行ったら、もうひとつ部屋があったんです。かわいらしいパステルカラーに塗られたその部屋の白いフレームの窓からは、さっきまで座っていたところから見るケアラケクア湾とは全然違う風景が見えました。とっても静かに風が入ってくるその部屋を、僕はひと目で気に入ってしまいました。すぐウェイトレスさんに、その部屋でも食事ができるかどうか聞いてみました。答えは「オフコース！」。きっと心の中では「ん、ちょっと面倒くさい日本人だわ〜」っと思ったかもしれませんが……（笑）。

自家製のパン、庭で育ったアボカドやその他の野菜。それに心地良いパステルカラーの部屋。どうしたって好きにならずにいられませんでした。

The Coffee Shack
83-5799 Mamalahoa Highway, Captain Cook／808-328-9555／7：30-15：00／Map1（P228）

Here is the beautiful scenery~!

06 | Inaba's Kona Hotelのトイレ

Ⓜ トイレネタが続いちゃってスミマセン……。僕、昔からはじめて訪れた場所に行くと、用を足したくなっちゃうクセがあるみたいで。たとえば、友人の新居にお邪魔すると、なぜかしたくなっちゃうのです。ごめんなさい、お下品で……。だから新居を汚されたくないと思う方は、僕を新居に招待しないでください。と、ここまでそういう話をしてしまったからには、もうひとつ、世界で一番素敵なトイレがハワイ島にあるので、ご紹介させてください。

ホルアロアという小さな小さな町がカイルア-コナの町から山に向かったところにあります。いまはコーヒーで有名な町ですが、どうやら以前は日本からの開拓者や、まだハイウェイ11号ができる前は、町を走るワインディングロードがハワイ島をワイコロアから南下するための主要道路だったようなのです。そこの町に行くと、一番最初に目に入るのがイナバさんが経営しているホテルです。外観はペンキがなかったからなのか、単純にその色が好きだったからなのか、ショッキングピンクなのです。確か経営してから76年か77年ぐらい経っているようなことを以前イナバさんからお

Inaba's Kona Hotel
76-5908 Mamalahoa Highway, Holualoa-Kona／808-324-1155／Map4（P230）

聞きしたと思いますが、はっきりしたことは覚えていません。

とにかくこのホテルは、ちょっと標高の高いところにあって長い一本の廊下が海に向かって延びています。廊下の両側に壁や窓はありません。ただ屋根がついてるだけの廊下という感じでしょうか？　そして、その先に小さな小さな小屋があり、そこがトイレになっているのです。トイレに行く途中は、まるで海に向かって行くような感じです。たどり着くとそこはわりと普通、というか昔ながらのトイレなのですが、見晴らしがとってもとってもすばらしいのです。本当に心から「あ〜、ハワイで用を足してるな〜」と、実感するのです。

あっ！　イナバさんは、とてもきちんとしている方なので「トイレ貸して〜」みたいなかたちでトイレをお借りするようなことは、くれぐれもないようにしてください。どうしても借りたいという方は、きっと、手みやげを持って「厠を御拝借できませんでしょうか？　こちらは日本からのおみやげなのですが……」くらいの気持ちで、トイレをお借りしたほうがいいと思います！

07 | Manago Hotelのポークチョップ

Ⓜ うちの会社の要であり、もう15年近くの大友人のハイディさんがいつも「ハワイ島に行ったら、マナゴホテルのポークチョップを食べてみなさい！」と言ってました。でもなかなか行くタイミングがなく、最近ようやく訪れることができました。

昔とまったく変わっていないんだろうな、と思えるテーブルと椅子、嘘偽りのないレトロ感、そこに昔から生きている人たち（あっ、いわゆるご老人なのですが）。食堂の扉を開けた瞬間、そのすべてが自分を引き込み、まるでその一部になったかのような錯覚を起こしてしまったほど（ちょっと言い過ぎかも知れませんが）、そこには変わらない時間が流れていました。そうなると自分の舌もそれに適応する準備が整い、よりポークチョップがおいしく感じちゃうのです（単純です）。

事実、ポークチョップはかなりおいしいです。揚げ焼きしたようにカリッとした表面とは裏腹にジューシーな中身、ソルト＆ペッパーのシンプルな味付け……。しかも結構な分厚さ！　お醤油をちょっと落として食べるもよし、そのままご飯とガッツリいくのもよし、なのです。昔ながらのプラスティックの食器も、そのおいしさを引き立てているように思いました。ただし、豚さんなので熱いうちに食べないと……。冷めるとやや噛みごたえがでてくるので要注意です。

＊ママラホアハイウェイをコナから南下してくると、右手のほうに見えてくるクラシカルな建物が、このマナゴホテル。
いまでも$38ぐらいから宿泊できる部屋もあるのだそうです。

Manago Hotel
82-6155 Mamalahoa Highway, Captain Cook／808-323-2642／www.managohotel.com／Map1（P228）
＊7：00-9：00, 11：00-14：00, 17：00-19：30／Mon Closed（Restaurant）

08 | ヘイアウの黄色い蝶々

Ⓐ いままでこんなにたくさんの野生の蝶を見たことはありませんでした。

お正月、ハワイ島へ出かけたときのこと。行きも帰りも、ものすごい数の黄色い蝶々が道を占領していて運転するのがやっと、ということがありました。目的地は、カプを破った人たちの駆け込み寺のような存在だったと聞くヘイアウ。ロープが張られた先の浜辺では、亀がゆるりと日向ぼっこしているようなのんびりとしたところなのですが、その先の海には結構な数のサメがいるそう……。カプを破った人たちは、その海を泳いでこのヘイアウまでたどり着けば、破ったことを許してもらえるということなんですが……。

そんなにたくさんのサメがいることがわかっていながら泳ぐだなんて……と、資料を読みつつ思ったりしました。

さて、その蝶々。空が黄色になっちゃったんじゃないかっていうくらい、たくさんいすぎて、本当にそのときだけ異常発生だったのかしら？　と思うほど大量の蝶が宙を埋め尽くしていたのです。まるでこの地を守っているかのように。ここを上手に運転できたら、あそこまでたどり着かせてあげよう、そう言っているかのように、フロントガラスの前をヒラヒラと飛んでいきました。後にも先にも、あれだけの数を見たのは、1回だけだったのですが、その後も何度かそこに行くとやっぱりフラフラと気持ちよさそうに飛んでいる黄色い蝶々に出会います。

＊カプ＝寺や神殿に女性が入ってはいけない、調理は男性がすること、男女がともに食事をしてはいけない、などハワイ古来の宗教上でタブーとされたこと。
破ったものは、神の生贄にされるか、死刑になったといわれています。

Pu'uhonua o Honaunau National Historical Park
P.O.Box 129,Honaunau／808-328-2326／8：00-20：00／入園料 $5（クルマ1台につき。1週間有効パス）／Map1（P228）

09 | Kimura Lauhala Shop

Ⓐ カイルア-コナからほんの少し南下したところにある、小さな町ホルアロア。コーヒーベルト地帯と呼ばれる辺りより、手前にあるその町の入口ともいうべき場所に、ペパーミントグリーンのかわいらしいお店、キムララウハラショップがあります。

訪れたきっかけはハワイの友人、ハイディの「絶対、好きなものがあると思うよ」というひと言から。ラウハラで作ったものはもともと興味があったけれど、いままでずっといいなと思うデザインのものに出合えていなかったので、なんとなく自分のなかでは消えかけていたラインでもあったものでした。が、今回、そんなわけで出かけてみることに。ラウハラとはハワイ原産の植物、パンダナスツリーの葉を編んだもののこと。おみやげ屋さんでよく見かけるバッグや小物入れ、帽子などがそれです。

日系2世のフミコさんと3世のレイコさんが切り盛りする、お店の創業は1914年。はじめは日本のものなども売っているような、雑貨屋さんだったといいます。それが1929年の世界恐慌で食べるものもお金もなくなり、畑で作った野菜とラウハラのマットをハワイアンと交換したことをきっかけに、ラウハラの美しさに気付きます。そこで、編み方を教わることからはじめたのが、このお店の本当のはじまり。いまはコーヒー農園として栄えているこの辺りも、昔は一面サトウキビ畑だったので、そこで使うカゴや帽子を編んでいたと、お母さんのフミコさん。そもそもはおみやげものではなく、ちゃんと生活に根付いたものだったんです。それにしてもラウハラの扱いは大変そう。枯れている葉を取り、ざっと洗ってからさらに海で洗い（海で洗うことはブリーチといわれるけれど、薬を使って色を落とすものとは違います）、それを乾かして、なめして柔らかくし、ようやく下準備が整うといった感じ。あとは葉を細くカットする手作りの道具を使い、1本1本カットしていきます。いやはやなんとも気の遠くなる作業が続くのですが、フミコさんもレイコさんもちっとも大変じゃない、という感じ。笑顔でラウハラの美しさを教えてくれました。

それにしてもお店に並ぶ、アンティークの帽子の美しさったら……。見ているだけで惚れ惚れするツヤとデザインにすっかり見とれてしまいました。カゴもシンプルで使いやすそう。変に飾り立ててないつくりは、さすが、生活の道具として作られていたはじまりをもっているからこそ。あれこれ見せていただいた末、結局ジッパーが付いたポーチ（中はアンティークのハワイアンプリントの生地が貼ってあって、これがまたかわいい！私の買ったものはカメハメハ大王がプリントしてあるものでした）と部屋ばき用のサンダル（ラウハラは冬は暖かく、夏は涼しいのだそうです）を1足購入させていただきました。

大事に使えば5〜10年は余裕でもつというラウハラを使ったものたち。日本での私の日々のアイテムとして大事にしていこうと思っています。

Kimura Lauhala Shop
P.O.Box 32 Holualoa - Kona／808 - 324 - 0053／Mon - Fri 9：00 - 17：00, Sat 9：00 - 16：00,Sun Closed／Map4（P230）

10 | Keopu Coffee

Ⓐ 100%コナコーヒーのおいしさに目覚めたのは、このコーヒー豆と出合ってからのこと。ココナッツやバニラなどのフレーバーがついたものを、ハワイのコーヒーのイメージと重ねる人も少なくないと思いますが、それとは違う、正真正銘100%コナコーヒーの話です。

出合いはご存知、KCCファーマーズマーケット。いまでこそ、彼らはその場でちゃんと飲めるような（1杯いくらという感じでね）準備をしてきてはいますが、当時は試飲用の小さな保温ポットひとつと農園の写真が見られる手作り感いっぱいのアルバム、それに袋に詰められたコーヒー豆数袋が、小さな机にちょんと並べられているだけといういでたち。煙草は吸わないけれど、コーヒーは原稿を書きながら、打ち合わせをしながら、1日に何杯もいただく超コーヒー好きな私。さっそく試飲させてもらいました。そしてビックリ！　いままでのハワイのコーヒーの印象をまったく覆す、豊かな風味としっかりとした深い味わいがあったのです。何杯飲んでも飽きないし、反対に1杯でもすごく満足する、そんなおいしさでした。褒めちぎる私に気を良くしたお兄さんは、農園の写真も見せてくれ、あれこれ説明もしてくれました。その一面に広がる深いグリーンの畑を見て、思ったんです。いつか機会があったら彼の農園を訪れたいな、と。あれから、数年。ハワイ島に行くたび、あのコーヒー豆を探してみたけれど、まったくみつからず。店の人に豆の名前を聞いても、誰も知りませんでした。ハワイ島に農園があるはずなのに？

今回、ようやく農園を訪れることができ、その理由がわかりました。単純にハワイ島では販売されていなかったのです。オアフ島でもKCCファーマーズマーケットとカイルアのカラパワイマーケット＆デリ、ダイヤモンドヘッドマーケット＆グリルの3件のみ。これじゃ、みつからないわけだ。ほんの数カ所でしか販売していない理由は、家族だけでやっている小さな農園だから。すべてオーガニックで、雑草をカットするのも手作業。たくさん栽培することも可能だけれど、やっぱりこの味を保つことが一番大事だから、と決して機械で大量生産することはしないと決めているのだそう。どうりでおいしいわけです。私って見る目あるな〜と、しみじみうれしくなっちゃいました。農園を案内してくれたアイザックは、いつもファーマーズマーケットにひとりで販売に来ていたお兄さん。もの作りっていつも、その人となりが出るなぁと思うけれど、今回もまさにそう思いました。まじめで優しくて真摯に物事に向かう感じが、コーヒーにしっかり表れていました。これからもずっと変わらず、おいしいコーヒーを作り続けていってほしいです。

＊Keopu Coffeeの豆は
収穫してからすぐローストするので、
実際にいわゆる麻のコーヒー豆袋に入っているのは、
わずか3日ほど。新鮮です！

＊まだ未定ですが、もしかしたら近い将来
ワイメアのファーマーズマーケットでも
Keopu Coffeeが購入できるようになるかも知れません。
いま、検討中なんだそうです。

SHIRAKAWA
MOTEL

11 | Shirakawa Motel

Ⓜ ハワイ島のサウスポイントの近くに、ワイオヒヌという町があります。緑に囲まれている静かな小さな町です。その町にこのシラカワモーテルはあります。モーテルというだけあって、豪華さや華やかさはありません。が、心地良さがあります。僕が知っている限りでは、ハワイで「モーテル」という名前で宿泊施設をしてるのは、ここだけだと思います。

本当に本当に心優しいシラカワご夫妻が、ここを経営しています。おじいちゃんは、タクミ・シラカワさん(85歳)、おばあちゃんは、ハーフなのかな？ そんな雰囲気が漂うリツコ・シラカワさんです。

実際に宿泊できるのは、いまは12部屋。キッチン付きの部屋も4部屋あるそうで、今回の取材時に、ちょこっと(実はちゃんと見たことがなかったので)部屋をのぞかせていただき、いろいろお話をお聞きしようと思っていたのですが……。なんと！ ご夫妻のご好意により、お家にまであがらせていただき、バナナブレッドや庭のおいしいマンゴをごちそうになりながら、1時間以上も話し込んでしまったのです。その間は、まるでゆっくり流れる優しい空気のなかに包み込まれているようでした。

このモーテルにはいままでにもたくさんの人が泊まってきたそうです。皆さん、意外と観光ではなく、仕事でここへ来て、長期滞在しているようです。でも、毎年毎年少しずつお客さんが減っているようで、ご夫妻が住んでいる母屋の2階部分にも以前は宿泊客がいたそうですが、いまはそういうこともほとんどないのだそうです。ちょっと寂しいけど、その寂しさと静かに佇んでいる様が哀愁となり、青いハワイの空と深い緑の中にしっくりと調和していたように感じました。

「ハワイはゆっくり時間が流れてる」と、よく思います。そしてその時間は、すべてを優しく包んでくれています。だから失う悲しみを感じて下を向いたりすることがあっても、いつの間にか空を見上げ、また笑顔になれるのだと思います。

Shirakawa Motel
P.O.Box 467 Naalehu／808-929-7462／
Standard$55, Kitchenette$66,
Deluxe Kitchen$77／
www.shirakawamotel.com／Map1 (P228)

Ⓐ 吉本ばななさんの作品に『サウス・ポイント』という小説があります。その本を発表なさる前の年だったか、その前の年だったかには『まぼろしハワイ』という作品を発表なさっていました。もともと、ばななさんの作品は好きでしたが、これは特によかった。こんなにも涙を流したのは、久しぶりというくらい、ものすごく泣きました。
ハワイでの別の本の取材を終え、さまざまなことがあったせいか、少し疲れていた私にこの本を差し出してくれたのは、昔からお世話になっていた編集者の方でした。「すごく優しいよ」とひと言、言って渡してくれたことを思い出します。その言葉どおり、ばななさんの言葉はガサガサになっていた気持ちをふわりとやわらげ、何度も温かい手で背中をさすってもらったような、そんな気持ちにしてくれました。あまりに優しくて、ボロボロとこぼれる涙を拭うのが間に合わなかったくらい、涙はあふれ続け、しばらくとまりませんでした。そして、そうだった。と、ハワイの心地良さや包み込む優しさ、強さをあらためて思い出したのです。その後、再びハワイに関する作品を発表なさったと聞き、すぐさま手に取りました。すると「その前にこれを読んでからのほうが、もっといいと思う。どうかな？

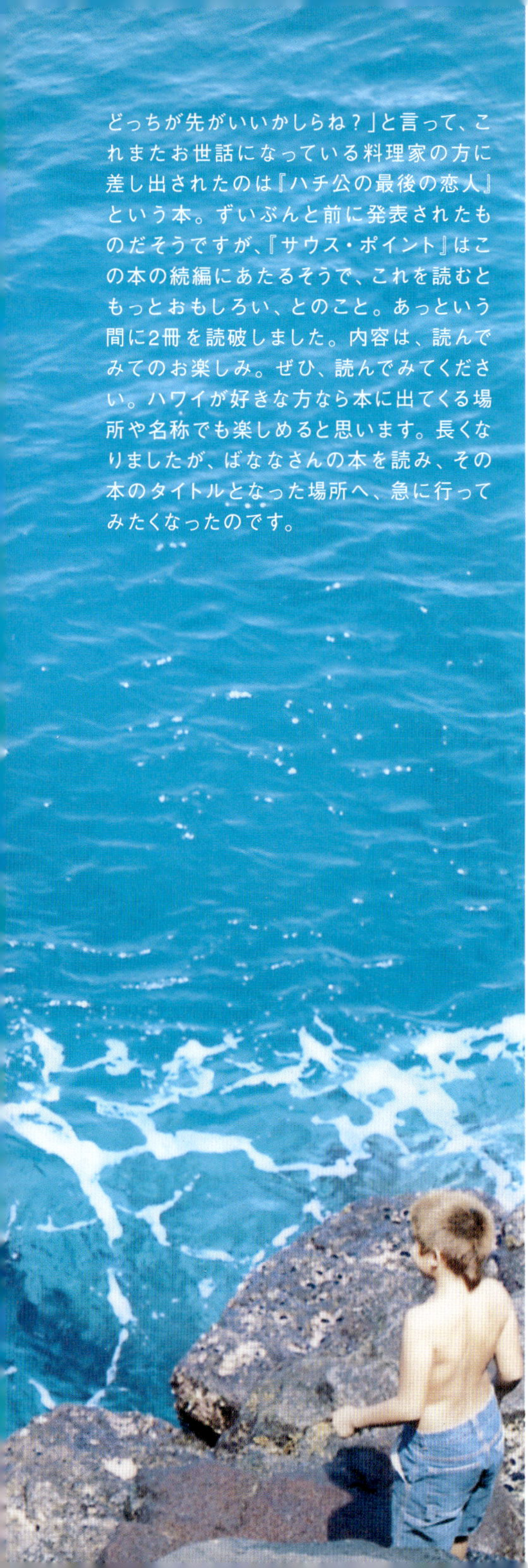

どっちが先がいいかしらね？」と言って、これまたお世話になっている料理家の方に差し出されたのは『ハチ公の最後の恋人』という本。ずいぶんと前に発表されたものだそうですが、『サウス・ポイント』はこの本の続編にあたるそうで、これを読むともっとおもしろい、とのこと。あっという間に2冊を読破しました。内容は、読んでみてのお楽しみ。ぜひ、読んでみてください。ハワイが好きな方なら本に出てくる場所や名称でも楽しめると思います。長くなりましたが、ばななさんの本を読み、その本のタイトルとなった場所へ、急に行ってみたくなったのです。

　アメリカ最南端のその地は、かなり閑散としていました。サウスポイントを示す白い塔がぽつんとあるのみ。あとは釣りや海水浴に来た人がほんの数人。海の色は、黒にも近いような深く濃いブルー。ちょっとのぞき込んだだけですが、なぜか怖くなり、思わず顔を引っ込めました。この場所で運命の出会いをした主人公たちのことを思い出しつつ、空と海の青を見比べるだけの時間を数十分、だまって3人で過ごし、まただまって来た道を戻りました。

Map1（P.229）

12 | South Point

13 | Hana Houのレストラン

Ⓐ ハワイ島を南へ、南へと向かい、その昔、マコトがあるレコードのジャケット撮影をしたという場所へ向かっていたときのこと。

「そこに行く途中に、外観がカッコイイ映画館があるんだよ〜」とマコトが豪語していた赤と黄色の映画館（残念ながらその映画館はすでにさみしく閉館されていました）のすぐそばに、「EAT」とだけ記されたレストランを発見しました。白地に黒の文字で、ただそのひと言だけ書かれた看板が、平屋の一軒家にポンと無造作に掲げられている姿がおかしくて、入ってみようということに。

店内は店内で、どうしてこの生地で!?と、思うようなププッと笑っちゃう熱帯魚柄のカラフルな生地で作ったカフェカーテンがかけてあり、わりに激しい飾りつけも……。でも、そんなことまったく関係ないっていう顔で、ムシャムシャとおいしそうにプレートランチを頬張る町の人たちが意外なほどたくさんいて……。それを見ていたら、なんだかここがすごく幸せな場所に思えてきたのです。メニューはどれもおいしくて、私はモチコチキンがのったプレートランチをいただいたのですが、プリッとしたチキンに甘すぎない照り焼きのソースが絡まっていて、ご飯との相性も抜群でした。照り焼きが苦手な私。でもモチコチキンは好き！　という困った体質の私にとって、おいしい照り焼き味を作れるお店は、なにはなくとも最高！　という位置付けになるのです。

Ⓜ 食べることをこよなく愛してる僕らにとって、その看板は魅力的でした。さっそく、その言葉のごとく（EAT）をしようと、アカザワさんを先頭にその店に入っていきました。なんかインテリアがアンバランスだなと思いながら、席について、オーダーをしました。オーダーといえば、最近気付いたのですが、アカザワさんはオーダーのとき真剣です。慎重に吟味します。そして、絶対！　といっていいほど、おいしいものを注文するのです。ここでもやはりそうでした。ただこのお店は、それよりなにより、ローカル飯のお店としては、すっごく優秀でした。味もさることながら、いわゆるティピカルなローカルフードを出してくれるのです。変に着飾ったり、工夫をしたりしない普通のローカルフードなんです。しかもそれは、昔ながらの味。ちゃんとこの町の人たちに愛されてるんだな、と思えました。

ただ、インテリアのバラバラ感は、本当に素敵？　でした。そしてお店の名前のごとく「Hana Hou（ハナホウ）」したいと思いました。

＊ちなみにちゃんと店の名前も、
入り口左に掲げてありました。
あまりに「EAT」の看板がインパクトありすぎて、
帰りまで気付かなかったんですが。

Hana Hou Restaurant
95-1148 Naalehu Spur Road, Naalehu／
808-929-9717／Sun-Thu 8：00-19：00,
Fri-Sat -20：00／Map1（P228）

14 | Kalapanaという町

Ⓜ カラパナというと、まず一番最初に思うのが、1970年代に一世を風靡したモダンハワイアンミュージックというより、サーフミュージックの草分け的存在のグループのこと。なので、いつもハワイ島の地図を見ると、この「Kalapana（カラパナ）」という文字が一番最初に目に飛び込んできていました。そして、いまでもなんとなく気になる町として僕のなかで息づいています。

1990年、この町が溶岩に飲み込まれていく様を、僕はテレビで見ていました。溶岩が、いまはなきQUEEN'S BATHを埋め尽くしていったり、まわりの木々を焼きながら、ゆっくりゆっくりある一軒の家に迫っているシーンがとても印象的でした。カメラの前で、初老の女性が泣きながら、自分の家が溶岩に飲み込まれていくのを見ているのです。当時の僕にとって、それは信じられない光景でした。そしてそれを見ながら「どうして、テレビの人たちはそれを放送するだけでなく、溶岩の流れを変える壁とかを作ったりしないんだろう？」って思っていました。でも、よくよく考えてみれば、石をも溶かしてしまう高温の持ち主の溶岩の流れをそう簡単にせき止めることなど、到底無理だったのです。自然に勝てる人間なんて、絶対あり得ない。そう思いました。

カラパナという名前は僕にとって、さまざまなことで印象深い名前だったので、いつか行こう、行こうと思っていた場所でした。ガイドブックにもほとんど紹介されていないので、絶対自分の目で、どんなところか見てみたいと思っていたんです。あるとき、ハワイ島でロケハンをしていたら、そのチャンスはやってきました。もうほとんど夕陽が沈む頃、ヒロから急いで道路標識に従って「カラパナってどんな町だろう」と思いを募らせながら、赤くなりかけている空の下、車を走らせました。いわゆるここがカラパナだろうと勝手に思った場所に着いたときはすでに真っ暗で、車のヘッドライトに照らされていたのは、鬱蒼と茂った木々とあまりにも大量なカエルの群れだけでした。もちろん幻滅はしませんでしたが、寂しい気持ちになりました。でも、そのおかげでいまでもカラパナをゆっくり散策してみたいという野望は捨てきれていません。そんなわけでここは僕にとって一生未知なる場所になりそうです。

Map1（P.229）

15 | Volcano Houseとそのレストランのこと

Ⓐ ここ1～2年でまた活発な動きをみせている、ボルケーノ。2008年のお正月にはまだ静かでしたが、その直後から再びモクモクと噴煙を上げているようです。

ボルケーノハウスは、部屋からクレーターが見えることでも知られる唯一のホテル。創業1846年の由緒正しきホテルには、世界各国から訪れる人が絶えないと聞きます。その理由はやっぱりクレーターをより近くで見ようということなんだと思いますが、マコトと私の場合は、もちろんそれもそうだけれども、もういくつかここに来る重要な理由があります。

私の場合は、ボルケーノハウスのシンボルともいえるペレをイメージしたロゴマークのものを、隣接するおみやげ屋さんで記念に購入すること。それから雰囲気の良い部屋の内装を見せてもらうこと。創業以来、ずっと灯されているという暖炉で暖まること。最後はロビーにかけられているハワイ王朝の方々の絵を観ること。マコトはホテル内のダイニングルームでステーキを食べること、です。この話は後でマコトが詳しく書いてくれると思うので、簡単に感想を述べさせていただきますが、それはそれはおいしかったです！　肉厚でジューシーで、やわらかくって。これは食べに行く価値が大有りです。

さてさて、部屋の話です。ここの部屋の雰囲気は相当好み。クレーターに向かって大きくとられた窓のそばに置かれたコアの木のロッキングチェアや、ハワイアンプリントのベッドカバー、コアの木がベースのベッドサイドライト……。ルーバーのドアで仕切られた小さなバスルームもシンプルに白で統一され、清潔な感じ。古き良き時代を思わせる、味わい深いゲストルームなのです。なかなか宿泊する機会に恵まれないけれど、ぜひ、一度泊まってみたいなぁと思い、訪れるたびにしつこく部屋を見せていただいています。暖炉前にも同じくロッキングチェアが置かれているので、のんびり腰掛けてみるのもいいですよ。そういえば、暖炉と普通に書いていますが、ボルケーノ付近はとても寒いんです。だから、暖炉があってちょうどいいくらい。出かけるときはくれぐれも上着を忘れずに。

ペレのロゴマークが入ったオリジナルグッズ目当てに必ず寄るのが、ホテル内のおみやげ屋さん。大きいものではフリースやパーカーなども。私はブックマークと少し厚手の靴下（ペレのマークとボルケーノが編み込んであってかわいい）を購入しました。最近はどうかわかりませんが、意外にもこのオリジナルグッズ、定番ものが少ないらしく、数カ月後に再び訪れた際には、すでにブックマークも靴下もなくなっていました。季節ごとに変えているのかも知れません。でも、訪れるたびにちょっと立ち寄って探してみるのも、また楽しいなぁと思っています。

＊オリジナルグッズ好きとしては
ダイニングルームで使用しているプレートも
かなりかわいくて欲しいなぁと思ったのですが、
これは非売品でした（涙）。

VOLCANO
HOUSE

Ⓜ ボルケーノハウス＝ステーキという公式が、僕のなかでずっと前から存在しています。正直、なぜなのかわかりません。ボルケーノハウスという言葉を見ると、アメリカンなおいしいステーキを思い浮かべてしまいます。

窓越しに偉大な、そして雄大なボルケーノのクレーターが見えています。クラシカルなテーブルと椅子が、クラシックな風景のレストランに調和をもたらせています。カチャカチャと食器と食器がぶつかる音や、みんなの食べている最中の笑い声、お皿にフォークやナイフを立てたときの音……。そんなちょっとざわざわした音の中で、静かに窓越しのテーブルに腰掛け、ちょっとだけ歯ごたえのある、けどジューシーなステーキを頬張るのです！ ボルケーノハウスという名前は、僕にそんな光景を思い浮かばせてくれるのです。実際、ここのレストランに、そのステーキはあります。ちょうど国立公園を散策したり、ちょっと冷たい風に当たったりしているうちに、おなかが空いてきて、このステーキがさらに格別なものになるのもこの場所ならでは。

もしもこのステーキを食べなくなる日がくるとしたら、それは僕が総入れ歯になってしまったときか、お金がなくなってしまったときだと思います。

Volcano House
Crater Rim Drive, Volcanoes National Park／808-967-7321／Map1（P229）

16 | Low Internationalのレインボーブレッド

Ⓐ その名も楽しいこのパンは、ハワイ島の東、ヒロの町にある食堂で購入できるもの。キラウエア通りとポナハワイ通りのちょうどコーナーに立っている大きなレインボーカラーのパン型看板が目印。レインボーといっても、7色ではなく、私の印象としては映画「オースティンパワーズ」の部屋や衣装にあるような、オレンジと赤とピーチ色をごちゃっと混ぜたような色合い。ベースのスイートブレッドにマンゴーやリリコイ、ココナッツなどを加えたその味は、想像以上にフルーティー。しかも、スイートブレッドのほんのりとしたやわらかな甘みが加わって、1斤そのまま食べきってしまうほど、おいしいのです！

ロウインターナショナルという食堂内にベーカリーの売店があるので、その場で食べる場合は、お願いするとバターをつけて鉄板でさっと焼いてくれます。それがまた最高にうまい！　旅の間の朝ごはんとして1斤買い、さらにその場でも食べるのが定番。まさに外はカリッと香ばしく、中はフワッフワッな食感です。

Ⓜ しかめっ面のおじさんにオーダーをとってもらっていたとき「ちょっと写真撮ってもいいですか？」と声をかけました。おじさんは無言で、というより、ほえっ？　という感じだったので、簡単にどうして撮影したいのか、実は取材しているとか、そういったことを説明すると、多少理解してくれたようでした。しばらくすると、奥からオーナーが出てきました（どうやらおじさんがオーナーに説明してくれていたみたい）。そして、撮影の一部始終を窓越し（オーダーをとる窓）に見ていました。そして「おいしかったです」と告げ、そのパンをおみやげに買っていきたいと話すと、パンを1斤どころではなく、3斤ぐらい手渡してくれました。えっ？　そんなたいしたことしてないのに、いいの？　きっとおじさんの説明が凄すぎたのかも知れません（笑）。他の島の人たちもおみやげにたくさん買って帰るらしく、ちゃんと形が崩れないような箱まで準備されていました。

軽くトーストして、バターをぬるだけで、ほのかに甘いパンとバターの塩気が合わさり、さらにおいしさをアップしてくれます。カワイイうえに、かなりおいしいんです。

＊どこかしらノスタルジックな食堂の中の雰囲気も
好きです。壁一面に下げられた
ものすごい量の写真付きメニューも圧巻。
大好きなスパム＆エッグをはじめ、
ロコモコ、ステーキとコリアンチキンを合わせた
プレート、マヒマヒグリル、ハンバーガー、
サイミンなど、とにかくなんでもあり。
どれもおいしいので、
ただいま、いろいろチャレンジ中です。

＊レインボーブレッド以外にも、
レインボーショートブレッドという、
サクサク系クッキーもあり。
こちらは味わい的には
それほど感激はないけれど、
食感のサクサク具合はかなりキテマス！

Low International／Rainbow Bread
222 Kilauea Avenue&Pōnahawai Corner,Hilo／
808-969-6652／Thu-Tue 9：00-20：00,
Wed Closed／Map6（P231）

BACON MAKI SUSHI
SHOYU

HILO
FARMERS
MARKET

17 | Hiloのファーマーズマーケット

Ⓐ 特別何が良いのかといわれると困るのだけれど、ヒロに行くとついつい立ち寄ってしまうのが、ヒロのファーマーズマーケット。地元でとれた農作物はもちろん、それを使って作られたというジャムやはちみつ、パン、お惣菜などがかなりの広さのスペースにギュギュッと詰まっています。開催は、ほぼ毎日。でも、なぜだか水曜と土曜には、出店数も増え、かなりのにぎわいをみせているのも、不思議でおもしろいマーケットです。

そうたびたび行くわけではないので、正直、行くたびにジャムの銘柄なども変わっていて同じ人の作ったものが買えないのですが、どれもかなりジューシーでトロッと濃厚な味わい。パンにぬるのはもちろん、パンケーキにのせたり、チーズと一緒に食べたり、ソーダや水で割ったりしても楽しめます。

最近気に入っているのは、工芸品が売られているコーナーの奥のほうにあるタイ料理の屋台。青いパパイヤのサラダをオーダーすると、その場でペーストと合わせてささっと作ってくれます。これが超おいしい！　小腹がすいた時に、ぜひ試してみてください。

Ⓜ マーケットをうろちょろしていると、遠くから歌が流れてるのに気が付きました。どこから流れてるのかな、と思い、その歌声のほうに近づいてみると、ベンチでミュージシャンらしき人がウクレレを弾きながら歌を歌っていました。気持ち良さそうに、そして聴く側にも心地良く、とっても自然に。そのうち、その音楽に合わせて、何かモノを叩き、リズムをとり出したおじさんやら、ギターでそのハワイアンソングに音を重ねていくおじさんが、どこからともなく現れてきました。そして、いつのまにかハーモニーを奏でていました。買い物客の人たちにはきっとその歌が自然に流れているものに聴こえるのでしょう。おじさんたちは、誰に聴かせるわけでもなく音楽を奏でているようでした。ただ自分たちが楽しく、ときにずれても、音がぴったり合ったときのような喜びを感じているかのように……。そして、それを聴いて楽しんでくれた人は目の前のウクレレのケースにお金を入れてくれたらうれしいな、程度に押し付けがましくなく、チップを求めていました。

どうでもいいけど、仕事って本来こういう姿でできるといいな～って、いまでもときどき思います。

＊今回は食べ物以外に手作りソープも購入。
レモン、ハイビスカスなどのエキスを練りこんだ、
ナチュラルなもの。
小さいのでゲスト用にしたりすると
喜ばれそうです。うちは、全部自分たちで
あっという間に使ってしまいました。
泡立ちはいまひとつですが、
なごむ香りのおかげで心地良い風呂時間を
過ごすことができました。
今度行ったときにもあるといいな。

Hilo Farmers Market
7：00 - 12：00／808 - 933 - 1000／Map6（P231）

＊ヒロシーサイドホテルのフロントは、
こぢんまりしていい雰囲気。
この周りにハワイアンキルトが飾られています。
Please give me
a ocean view

18 | HiloのHotel

Ⓐ もし旅の時間に少しでも余裕があるのなら、ぜひ、ヒロの町で数泊することをおすすめします。コナにステイしたまま、ヒロで数時間では、満喫できないまま終わってしまうと思うので。メリーモナークというフラ・フェスティバルのときは町中に人があふれ返るそうですが、普段はそれほどでもありません。まばら、といったほうが正確なくらい。その感じがまた、のんびりとした時間をより心地良いものにしてくれます。

ナニロアボルケーノリゾート、ヒロベイホテル、ヒロハワイアンホテルの3軒はヒ

＊ナニロアボルケーノリゾートの
前の公園を突っ切ると、
ゴルフの打ちっぱなし練習場があります。
マコトとカメラマンのおりえちゃんはそこで毎朝、
朝練をしていました。日本の練習場に比べて
ずいぶん安くて楽しめるところだったようです。
ゴルフ好きの方は、ぜひ！

＊ナニロアボルケーノリゾートの
フロントに敷かれているカーペットは
柄がすごくかわいい！
これも非売品でした。当たり前か……。

Naniloa Volcanoes Resort
93 Banyan Drive, Hilo／808-969-3333／
Map6（P231）

Hilo Seaside Hotel
126 Baniyan Drive, Hilo／808-935-0821／
Map6（P231）

ロ湾に面したところに、ヒロシーサイドホテルはクヒオ湾に面したところにあるホテル。私はナニロアボルケーノリゾートとヒロシーサイドホテルにしか泊まったことがないけれど、どちらもそれぞれに味のあるホテルでした。ナニロアのほうは、海とプールが見える部屋だったので、ラナイでボーッとしていると、海を行く大型の貨物船が近くを通る様子や、プールで必死に泳ぐ人が見えたり、となかなかおもしろいのです。部屋のベッドカバー類は改装前のほうが好みでしたが、いまはシンプルなハワイアンスタイルになり、それはそれでいい雰囲気。ヒロシーサイドホテルは2階建ての低い造りで、ベッドとバスルームがキュッと収まったコンパクトな部屋が、居心地良いところ。朝は飛行場のごーぉぉおおおおーーーっという音で目が覚めます（笑）。だから早起きできていいですよ。あとはフロントと廊下に飾られたハワイアンキルトが好みのセンスでした。

19 | Mr.Ed's Bakeryのジャム

Rambutan
Yellow Guava
Low Sugar
Cranberry Lilikoi
Marmalade

Ⓐ いまから7年ほど前に、ダンナとハワイ島に出かけたときのこと。ワイコロアにステイしていた私たちは、無謀にも日帰りバスでヒロに行こうと考えていました。いま思うとかなり無謀でしたが、そのときはなんとかなる、と思ったのです（笑）。その計画をホテルからコナの町まで乗ったタクシーの運転手さんに話すと、なんと「明日、僕は休みだからよかったら1日、案内してあげますよ」と、言ってくれたのです。もちろん急にそんな話をしたわけではなく、ハワイへは新婚旅行ですか？　とか、ハワイアンミュージックは知っていますか？　なんて質問をいくつかされ、そのときハワイの音楽のことでダンナと意気投合したという前振りはあったのですが、それでもやっぱり見ず知らずの今日はじめて会った人が、そんな大事なお休みを……。と、思いつつ、半信半疑で翌日を迎えたのです。

翌日、約束どおり彼は私たちを迎えにマイカーでホテルまで来てくれました。カタコトの英語でお互いの素性を話しながら、ハワイ島一周の旅へと出発です。彼の名前はビル。生まれも育ちもハワイ島。未だにこの島から出たことはないのだそうです。ふたりの息子はすでに結婚していて、しかも、39歳という若さで（ビルが）孫までいたのには驚きました。気の良い、優しい人。パッと見も、よくよく話し込んでもそんな印象の人でした。長くなりましたが、その彼が案内してくれた場所のひとつが、このパン屋さん。アカカフォールズに行く途中にあるホントにホントに小さなホノムという町に、おいしいアンパンを売ってる店があると言って連れて行ってくれたのです。古びたウインドウケースの中には手作り感いっぱいの焼き立てパンやパイなどが慎ましやかに並んでいました。ビルはアンパンを自分の分と私たちの分と、3つ買って渡してくれました。あんこがあまり好きではなかった私ですが、フワフワでしっとりしたパン生地でたっぷりのこしあんを包んだアンパンは、それはそれはおいしかったことを覚えています。もちろん、ぺろりと平らげてしまいました。

あれから数年。久しぶりに訪れたホノムの町は、人の優しさも空気の清々しさも、まるで時間がとまっていたかのように、変わることなく存在していました。パン屋さんは、ウインドウもそのままでしたが、いくつかメニューが増えた感じ。と、思いつつ隣りの部屋に行ってビックリ！　たくさんのカラフルなジャムが壁一面の棚にぎっしり並べられていたのです。リリコイ、マンゴー、パイナップル、ココナッツ、ライムなどなどハワイらしいフルーツをふんだんに使ったものがズラリ。その数、きっと100は優に超えているだろうものを、お姉さんにすすめられるがままにあれやこれやとテイスティングしました。その結果、必ず買うようになったのがリリコイの酸味にジンジャーの辛味でパンチを効かせた「リリコイ・ジンジャー」とこっくりとした味わいにライムのさわやかさがピッタリの「ライム・バター」のふたつ。これはかなりおいしい！　おじさんの顔がプリントされている、いかにも手作り印刷のラベルには「Made with ALOHA」の文字も。気持ちを込めて作られた南の島のジャムは、カリカリに焼いたトーストによく合います。多少、焦げ過ぎていたってこのジャムさえあれば、なんのそのなのです。

＊というわけで、パン屋さんは手作りのジャムも
販売するようになっていました。
とにかくすごい種類なので、自分のお気に入りを
みつけるのもひと苦労なのですが、
テイスティングする時間もまた楽しいので、
ぜひ、お気に入りを探してみてください。
1個$7.50、2個だと$14。
シュガーフリーのものは、$8.50です。

＊パンのほうはアンパン（$2.25）以外に、
しっとり厚めのパイ生地もおいしい
リリコイパイ（$1.75）と
バナナがたーっぷり入ったバナナブレッド
（$1.75、Small）もおすすめです。

Mr.Ed's Bakery
2816－72 Government Main Road, Honomu／
808－963－5000／Mon－Sat 6：00－18：00,
Sun 9：00－16：00／Map1（P229）

Lime Butter
Banana Butter
Poha Berry
Low Sugar

be a winner in Seven-Up
HAWAIIAN SURFIN'
SWEEPSTAKES
Hawaiian Holiday for you and 7 friends via CPA
7,777 Great Prizes
Colour TV's and radio/record players
Hit Record Albums
Leilani
Hawaiian
Rum

20 | HiloのアンティークショップとB&B

＊ちょんちょんと飾られたアンティークの
フラガール人形やハワイ王朝の紋章、
アロハエアラインのロゴマーク入りのバッグ
などなど、あらゆるところにさりげなく
アンティークが配されたゲストルーム。
上の写真は皆で食事をする
キッチン&ダイニング。
昔、アメリカ映画で観たような
夢のキッチンが広がっています。

Ⓐ ハワイに限らず、日本でも海外でもアンティークショップをのぞくのが好きです。

ヒロの町にもいくつかアンティークショップがありますが、なかでもここは一番のお気に入り。いつ行っても欲しいものがあるんです。

レモンイエローにペイントされた店内には、ハワイアナと呼ばれるものからアメリカの古い食器や生地などが、ギュッとまではいかず、シンプルに、けれども少しだけ私たちに物を探す楽しみも残してくれつつ、ディスプレイされています。

まず、このレモンイエローがとにかくステキ。それに合わせた棚や扉のペパーミントグリーンやピーチピンクなどが、またよく合う！　こんなファンシーな色合い、とても日本では選ばないけれど、家を建てるときにはこういう色も使ってみたいとさえ思ってしまったほど、ハワイの空と空気と人の良さに、この色合いが馴染んでいるように感じました。数年前にはじめて訪れてからハワイ島に行ったら必ず寄っているのですが、そのたびに、おっ！　と思う代物に出合えます。この本の最初のページに使わせていただいた生地もここで出合ったものでした。

そんな目利きで、ユニークなオーナーのビリーさんに、これはいつ頃のもの？　これは？　あれは？　としつこく質問していたら「よかったら僕がやっているB&Bを見に来ませんか？　そこにもいろいろおもし

＊アンティークショップ同様、
レモンイエローとペパーミントグリーンの絶妙な色合わせで構成されているB&Bのゲストルーム。
ラウハラの帽子をいくつもかけただけなのにこんなにかわいいのは、ビリーさんマジック！

ろいものがあるし、きっと気に入ると思うよ」と誘ってくれたんです。そう、ビリーさんはこのお店のほかにB&Bも経営していたんです。もちろん、すぐさま「行きます！」と言いましたよ。で、すぐに出発！　ビリーさんのB&Bは、アカカフォールズのすぐ近くにありました。

静かな山間を抜けた隠れ家のようなところ。少し階段を登ったところにある門をくぐると、そこにはおとぎ話に出てくるような、かわいいプランテーションハウスが佇んでいました。中にはヒロのお店以上のアンティークがあちこちに！　しかもごく普通に置いてあるので一瞬わからないのだけれど、よく見ると……というさりげなさ！　いやぁ、興奮しました。B&Bですから、もちろん宿泊できます。高台に建っているので眺めもすばらしかったです。今度は絶対ここに泊まりたい！　そう心に誓い、ビリーさんとさよならしました。

＊1部屋$87.50。現在、宿泊できるのは
2部屋（1クイーンベッドと2シングルベッド）。

Plantation Memory
179 Kilauea Avenue, Hilo／808-935-7100／
10：00-17：00, Sun Closed,
Sometime Mon Closed／Map6（P231）

21 | Hawaii Tropical Botanical Garden

Ⓜ ロケハンをする時、届いた資料を元に目的の場所を探すということが、よくあります。その場合、イメージ的に思い当たる場所を中心に自分の足で歩いて探し出します。

このボタニカルガーデンもそうやって見つけ出した場所。もちろん、優秀なロケーションコーディネーターさんたちは「そんなの既に調べ済みだよ⁉」という場所だったのですが、当時の僕にとってここは撮影場所という意味合いだけではなく、別の意味でも活気的な発見でした。ここでは木々や草花が野生と同じように、生き生きしているように感じられたのです。熱帯植物たちが、青々と生い茂り、みずみずしくいる様を見ていると「ここはずいぶん過ごしやすいのよ〜」と植物たちが言っているように思えてきたほど。それくらい、幸せそうに見えたんです。と、同時に「植物って生きてるんだ！　ちゃんと僕らと同じように生きてるんだ」と実感したのです。

ハワイの人たちはレイを作るとき、花を摘みます。でも、ムダに摘んだりはしません。しかも摘むときにはちゃんとお祈りをするのです。フェザーレイも同じです。フェザーレイとは鳥の羽で作るレイなのですが、その鳥を殺して、すべての羽をむしるようなことはしないのです。1羽の鳥から数本だけ頂戴したら、リリースして、また他の鳥から数本を頂戴して、という具合に、とても時間をかけて作っているのです。そうやってハワイの人たちは、ちゃんと自然と同調して、暮らしてきたのですね〜。ここに来るといつもそんなことを思います。あぁ、すべての命に感謝！　です。

Hawaii Tropical Botanical Garden
27-717 Old Mamalahoa Highway,Papaikou／808-964-5233／9：00-17：00（入場〜16：00）／
$15 for adults（6-16 years old $5, 0-5 years old Free）／Map1（P229）

22 | Maunakea

Ⓐ ハワイ島に行ったなら誰しもが必ずや行ってみたい、と思うであろう場所、マウナケア。でもその道のりは、私のような観光客の場合、なかなか難儀。基本的にはツアーで行くことになるのですが、難儀なのは決意が必要だから。と思うのは私だけでしょうか？　たいていは午後早めから迎えのツアーバスがホテルにやってきて、説明などがあってビジターセンターで体を慣らして、というのが通常だと思います（サンセットの場合）。ということは、短い滞在期間を有効に、と考える私のような観光客の場合、ここに行くと決めたらほぼ1日がそのためだけに使われるのです。そんなことをず――っと考え続けていたら、とうとうこんなに年月が過ぎてしまい、なんと、今回初のマウナケア体験となりました。

生まれてはじめて標高4,000mという高さを体験しましたが、ここがハワイ!?　と思うほど、ものすごい寒さにまずビックリ。さらに当たり前ですが、微妙に息苦しくてそれにもビックリでした。パーカーを2枚重ね着した上から毛糸のマントをかぶってもまだ寒い（私はさらに腹巻もしていました）！　けれどもそんな寒さも吹き飛ぶくらい、想像以上にサンセットは美しかった。オレンジピンクのグラデーションで一面を覆った空に、薄紫色のふわんとした雲。雲の上に自分たちがいるせいか？　山のもつ雰囲気のせいか？　とにかくなんだか不思議な感覚。まったくといっていいほど植物らしきものが生えていない山の上にいるせいもあってか、まるで地球以外の星に降り立ってしまったかのような錯覚に陥ってしまったくらい……。なんてひとりで勝手な妄想を繰り広げている間に、ゆっくりと太陽は沈み、最後はシュポッと雲の間に吸い込まれ、消えていきました。そうして少しずつ空が濃紺になりはじめた頃、ポツポツと薄く星が輝き出しました。後はもう、あれよあれよという間に、気が付いたら一面にこぼれるほどの星が瞬いていたのです（実際、まばたきする速度でこぼれ落ちていました。流れ星です！）。いまさらですが、こんなにも星に近づける場所がハワイにはあったんですね。マコトによると、この日は月ものすごく明るかったそうで、こんなに輝いていてもいつもより薄い輝きだったそうです。もっと早くに星に近づくべきだった。と、思った夜でした。この日は、興奮しすぎて結局ちゃんと眠りについたのは朝方……。でも翌日はパワー全開！　何かパワーをもらってきちゃったのかしら!?

Maunakea／国立天文台ハワイ観測所
650 North Aohoku Place, Hilo／808-934-7788／8：00-16：00／Map1 (P229)

＊この問い合わせ先は、マウナケアのツアーではありません。
観測所の問い合わせ先ですのでお間違いのないように。

Mooooooo
Mooooooo

23 | Tex Drive In

Ⓐ オアフ島でマラサダといえば、レナーズ。ハワイ島では、テックスドライブインですかね、やっぱり。フワフワでもっちりとした食感は、他にたとえようがないくらい、ただひたすらおいしい！　と思えるもの。はじめて食べたのは、ビルにハワイ島一周案内をしてもらったとき(P50)。失礼ながら後部シートでグースカ寝ていたら、スーッとテックスドライブインのドライブスルーで、マラサダを買い、手渡してくれたのです。そのおいしかったこと。そのときハワイ島にもこんなおいしいマラサダがあるってことを知ったのです。でもそれがテックスとは、すぐにつながりませんでした。あまり店のことなどを調べるクセがない私は、のんきにオアフ島でも買えるテックスのおみやげ用マラサダミックスを買ったりしていたんですから。このふたつが同じ店のものだとわかったのは、つい最近のこと。この、のんきぶりにマコトはえっ!?　っていう感じでした(笑)。

ここはマラサダもおいしいし、行けば必ず買ってしまうんだけれど、プレートランチメニューもかなり好きな味。ダンナはフライドライスと味噌スープを、私はロコモコやスパム＆エッグなどをブランチ感覚でオーダーすることが多いです。それで最後のデザートとしてマラサダ！　これが最高のコースメニューです。

Tex Drive In
45-690 Pakalani, Honoka'a／808-775-0598／6：00-20：30／Map3(P229)

FRESH HOT
MALASADAS
TEX
Drive In
"ONO KINE" FOOD

Wouldn't You Rather
Be Horsing Around?
Waipio on Horseback · 775-7291
HONOKA'A FARME
AND
CULTURAL MARK
STATE PARK

24｜Honoka'aのアンティークショップ

Ⓐ ハワイ島の北にある小さな町、ホノカア。そこに行くと必ず立ち寄るアンティークショップが2軒あります。ひとつはホノカアトレーディングという大きな倉庫を改築したようなお店。ポニーテールにサンバイザーをし、薄く色のついた大きなサングラスらしきものをかけているおばあちゃまがやっています。営業時間がいまひとつ不定期なのか、私たちが訪ねる時間が微妙なのか、いつもほんの少しだけ扉が開いているので、そこから声をかけると面倒くさそうに(でもなぜだか仕方ないわね、と言いつつもちょっと笑っていたりする)、ギーッと扉をもう少しだけ開けて「棚卸しをしている最中だから忙しいのよ。気に入ったものがあったら声をかけて」というようなことを言い残し、さっさと店の奥へと入っていきます。そしてまた、ごそごそと品物と格闘し出すのです。高い天井とグーッと奥まで広がる倉庫のような店内のあちこちには、ハワイの古い生地やアロハシャツ、アメリカや日本の古い食器などが積み上げられ、パッと見ただけでもワクワクする感じ。そのひとつひとつ気になる場所へと座り込み、物を取り出しては眺めます。このひとときが、ハワイでの好きな時間のひとつ。今回、とっても欲しいものがありましたが、残念なことにそれはプレゼントされたものだから、譲れないと言われてしまいました。しょんぼり。すごく探していたものだっただけに、帰り道かなり考え込みましたが、まぁ、また出合えるさ、そう思い直すことにしました。もうひとつも、ホノカアの町のメインの通りにあるお店。ですが、ここはただの一度も開いているのを見たことがないのです。町を訪れるたびにジーッとウインドウに顔をくっつけるようにして中を見るだけ。中には好きそうなものがいろいろあります。実はここのウインドウに2年近く飾られていたものが、ずっと欲しくてハワイ島を訪れるたびに出かけてみたのですが、開いていた試しがありません。お店に電話しても誰も出ない。そこで、近くのお店の人に聞いてみることに。そうしたらバケーションに出かけているとのこと。それにしてもいつも私が行くときってバケーションなの?? って感じでした。最後の最後と思い、ドアに手紙を挟んで帰ってきました。「ぜひ、欲しいものがあるので、お店を開けるときには連絡をくださいませ!」って。その後、オアフ島に移ってから連絡がきました! が、それもまたすれ違いとなってしまいました。悲しい……。さらに後日、ハワイ島を訪れたカメラマンのおりえちゃんから「赤澤さんが欲しいと言ってたものがディスプレーからはずれているけど、無事、買えたんですか?」と電話が。もちろん、買えていません! 恋焦がれたままのホノカアの2軒。また行きたいです!

Honoka'a Trading Co.
Mamane Street, Honoka'a／
808-775-0808／11:00-17:00,
Sun&Mon Closed／Map3(P229)

25 | Honoka'aのイタリアン

Ⓐ ホノカアでイタリアン!? いや、ハワイでイタリアン!? とお思いでしょう? もちろん、私たちもそう思っていました。ところが、これが意外や意外、まったくもって想像以上においしかったんです! ピザやカルッツォーネもお店の厨房で生地から練って、窯で焼いている様子。ラザニアにたっぷりと使われたトマトソースもとってもジューシーでコクがありました。ランチの時間にしか入ったことはないのですが、大きな楕円形のプレートにサラダとラザニア、ガーリックトーストがかなりたっぷりめに盛られて、$12.7。と、プライスも量も味わいも、とってもお得感満載。以来、気に入って、ホノカアでのランチはここでとることが多いのですが、未だディナーは未体験。いつかチャレンジしてみたいです。ところで、ここに行くと80%くらいの確立で会うおばあちゃまがいます。ときにはひとりで、ときにはご友人と思われる感じの方と。フェルト地に黒い羽がぴょんとついたおしゃれな帽子をかぶったおばあちゃま。いつも会うので、単純になんとなく親近感。今度行ったときも、また会えるといいなぁ。

Ⓜ 日本に帰るといつも思います。日本のイタリアンが世界で一番おいしいんじゃないかと。イタリアには行ったことはありませんが……。そして、正直に言っちゃいます。ここはきっと、日本のイタリアンレストランのそれとはちょっと違うかも知れません。でも、おいしいです、はい!

レストランって、もちろんそのお店の味も大切ですが、雰囲気もとっても重要だと思うんです。このお店がホノルルにあったら、きっとまあまあおいしいお店になるんだろうと思います。でも、このホノカアの小さな町にあって、雰囲気もその町に合っていて、無理をしていない感じすべてが「あっ、こんな町にこんなおいしいお店があるんだ」と思わせてくれるようなところもある気がするんです。

いわゆる港町にあるおいしいお刺身のお店、みたいな感じの。違うかな? でもそんな感じです。

Café il Mondo
45-3626-A Mamane Street, Honoka'a／808-775-7711／Mon-Sat 11：00-20：00, Sun Closed／Map3（P229）

26 | Merrimansの野菜

Ⓜ 本当かどうか？　いまとなってはよくわからないのですが、ハワイ島にいるたくさんの牛さんたちは、最初で最後の旅行でアメリカ本土に行くそうです。船に乗って、きっとなんとなく、ワクワクしながら……。だけど、牛さんたちはハワイに次に戻って来るときは、スーパーで売られるために小さくされ、僕のようなステーキ好きのために手頃なサイズになって戻ってくるらしいのです。

それはさておき、ハワイではじめてこんなおいしいステーキがあるんだ！　と思ったのは、いまから15年ぐらい前のこと。このレストランで、でした。そのときの衝撃が忘れられず、いまでも僕にとってここは、本当に特別なレストランです。僕が注文するのは、もちろんステーキ。ホントにおいしいから一緒に行った人みんなに食べて欲しくて、お肉があまり好きじゃない人にもオススメしちゃったりします。いまのハワイは他でもおいしい、ジューシーでテンダーなお肉を味わえるようになっているので、よく撮影クルーの人たちは「なんでここまでこの人、ここのお肉をオススメするの？」という顔をされることもあります。なので、ここがお肉はもちろん、野菜もものすご〜くおいしいということも、伝えたいと思います。

当時、地元の野菜を使うレストランは珍しく、ここがはしりだったような気がします。メリーマンズの野菜はここからクルマで15分ほど行ったところにあるヒロバラファームという農園で採れたものを使っています。こんなに近くの、しかも採れたての野菜を調理しているんだからおいしくないわけがないですよね。さらにシェフ自身も、お店の横の小さな庭で野菜やハーブを育てていました（もちろん、それもお店で使われているそうです）。

18年前のオープンからこれらのことを頑に守り、現在も経営しているメリーマンズ。それがここの人気の理由であり、これからもたくさんの人たちに愛されていく大切なことなのだろうなと思います。僕もいまだに最初のインプレッションがずっと心に残っているから、これからもここを特別なレストランとして、感じていくのだろうと思います。

Veggie is fruity ! Meat is so tender〜!

＊僕がおいしそうに食べているのが「Kafua Ranch Filet-mignon Tinute Steak（$17.95）」。
ハーブガーリックオイルでジューシーに焼かれたステーキに、ゴートチーズ、トマト、スピナッチのサラダが添えてあるボリューム満点のメニューです。

Merrimans
65-1227 Opelo Road,Kamuela／808-885-6822（Reservations）／Mon-Fri 11：30-13：30・17：30-21：00, Sat-Sun 17：30-21：00／Map5（P231）

27 | Daniel Thiebautの黄色

Ⓐ ワイメアの町を訪れると、必ず目にするレストラン、ダニエルティーボーの黄色い外観。レモンイエローよりも少しだけ濃くて、卵焼きよりも薄い黄色が、ハワイ島の青い空とワイメアの緑広がる場所にとても似合っているなぁと、いつも思っていました。

ドイツに近いフランスで生まれ育った、ダニエルさんがハワイに移り住んだのはいまから25年ほど前のこと。マウナケアビーチホテルでシェフとして腕をふるった後、コナのカフェを経て、このお店をオープンしたのだそう。もともとお子さんといつもアイスキャンディーを買いに来ていたこのお店が、閉店すると聞き、それじゃあ……、と思い立ったことがきっかけだったとか。でも、それより前のきっかけといえば、ハワイに住みたい！　と言ったダニエルさんの奥様のひと言。「ボスは奥さんだから、奥さんの言うことを聞かないとね」と、ウィンクするお茶目なダニエルさんと、なによりこの地を選んだ奥様がステキだなぁと思いました。

ところでこちらのメニューは基本、フレンチ＋アジアのミックス。どちらが強いということもなく、どちらも程よく取り入れているのが特徴。ダニエルさんはラムとラタトゥイユを合わせたものがおすすめ、と言っていたけれど、私はそれもいいけれど、マカロニチーズの豪華版みたいなメニューもおいしかったなぁと記憶しています。ワイメアでおなかがすいたら、ここに入れば間違いなし！　と思うのは、野菜はすべてワイメアのケケラファームで、魚はひとりの漁師さんと契約して、トマトは20年以上ワイメアで続いている農場にスペシャルにお願いして、という素材に対するていねいな気持ちがあるから。素材のおいしさと、ダニエルさんのお茶目なアイデアが組み合わさったごはんは、おなかも気持ちもハッピーにしてくれるものなんです。

＊外観の黄色は、
裏庭できれいな花を咲かせていたムーランという花の黄色からイメージして塗られたものだそう。

＊レストランの裏には2棟、
バケーションレンタル用の家もありました。
かわいらしいその家も、もちろん黄色。
キッチン付きで、居心地良さそうでしたよ。

Daniel Thiebaut
65-1259 Kawaihae Road, Kamuela／
808-887-2200／
Mon-Fri 11:30-14:00・15:30-21:00,
Sat 15:00-21:00,
Sun 10:00-13:30・15:00-21:00／Map5（P231）

D. Thiebaut
DANIEL THIEBAUT
RESTAURANT
LUNCH TODAY
Dinner Special
RIB EYE STEAK
DANCE
SAT. NITE
Betsy
Curtis
&Bill Nob
Trio

28 | Antiques by

Ⓐ ワイメアは寄りたいところがあちこちにある町です。有名なパーカーランチを筆頭に、たくさんの牧場があるパニオロが住む町は、海とはまったく逆の緑広がるところ。きれいに整備された緑は、フカフカとしていて気持ち良さそうです。そんな町の通り沿いにある白い小さな一軒家が、大好きなアンティークショップ。

白い木の、低い垣根で囲まれた敷地内はゆったりと庭のスペースがとられていて、ちょっと見、個人のお宅のよう。なので、看板はあるけれど果たして入っていいものなのか、ちょっと迷いつつも、扉を開けてみてビックリ。お店というよりは、ごく普通の家の状態のまま、各部屋にアンティークを取り揃えているといった感じなのです。一応、それぞれの部屋にはテーマがあるようで、古着、食器、アクセサリー、大物の家具、絵などといったかたちで分けられていました。私が好きなのは、食器の部屋。入口からふたつ目の奥に通じる部屋なのですが、もともとキッチンだったような部屋に、まるでそのまま置いてあったかのようにディスプレイされている様子は、この家でのかつての暮らしをふと思っ

たりもでき、おもしろいものがありました。ここではいまはもうないホテルや古くからあるホテルのロゴが入ったマドラーやスプーンなどを、ごっちゃりとそれらが積まれた大きなケースから探すのが楽しみ。その隣の細長い部屋は、きっとウォークインクローゼットだったような感じ。いくつも引き出しがあって、そこも自由に開けて見たりできます。まだまだ、キッチンのような部屋の奥にもさらに部屋がふたつ。さらにさらに、離れのようなところまでも。奥の奥まで入っていく感じがたまらなく楽しくて、ここに来るといつも時間を忘れてしまいます。この間は、あまりにおりえちゃんとマコトを待たせすぎてしまい、マコトは近くの大きな木に上半身を挟んでだら〜んとしたまま昼寝していました。いやぁー、ついつい夢中になりすぎました。ご、ごめん！

Antiques by
65-1275 Kawaihae Road,Kamuela／808-887-6466／Tue-Sun10：00-17：00, Mon Closed／Map5（P231）

Waimea Country Lodge
PANIOLO

29 | Paniolo Country Inn

Ⓜ 僕はいま、なぜだか変に物欲があります。でも、てんでなかった時期もありました。そのときにハワイで一番住みたい場所が、このワイメアタウンだったんです。小さな小さな牧場でもやりながら、馬に乗って、カウボーイをして（ちょっと地元では有名な日本人カウボーイになって）仕事が暇になると、ハワイ島中をまわっていい波を探して、波乗りして。夜は静かに暖炉の前でウクレレを弾き、その音色を聞きながら奥さんはハワイアンキルトを作り、暖炉のオレンジ色の灯りで、影が揺れ、静かに時間が過ぎていく、みたいなことをしたいな〜って、思っていました（長くてすいません）。

そんな憧れの暮らしの朝、みんなと世間話をするところが、このパニオロカントリーインなのです。みんなはちょっと有名なジャパニーズカウボーイに「Howzit!」と言い、牛のことやら、昨日の酒場の喧嘩のことやら、最近女房と別れたケビンが泥酔して道に倒れていたとか、あの女は誰にでもいい顔してるから気をつけろとか、そんな話を面白おかしく話して、その後、それぞれの牧場に戻って仕事をする、そんな憩いの場所。というのが、僕の勝手な理想。そうあってほしいなと思いました。そこで僕はみんなの話を聞きながら、ちょっと最近太ったかなと思うウェイトレスのシャーナのことを見ながら「ステーキ＆エッグ」にライスをサイドオーダーで注文します。シャーナは昔はこの辺ではとってもきれいで有名な子だったのですが、ホノルルで消防士をやってる男と恋に落ち、そのまま消えるようにホノルルに移り住みました。だけど、その男が女性消防士と浮気をして、それを許せず帰ってきて、そのまま誰かしらと軽い恋愛はするのですが、誰にも本気にならずに、いまは目尻の皺が目立つ歳になっているのです。そのことはヘンリーおじさんが、ときどきシャーナのオーダーを持って帰る後ろ姿を見ながら、僕に耳打ちするのです。そういうヘンリーおじさんは、ワイメアの町から出かけるとしてもせいぜいホノカアの町にしか行きません。奥さんには先立たれ、一緒にいるのはいつも犬だけで、ふっと気付くといつも人のおつりからちゃっかり1ドルだけ拝借して、暮らしているのです。それを苦笑いで見つめながら、僕は自分の小さな小さな牧場に戻っていくのです。

と、そんな想像をさせてくれるレストランがこのパニオロカントリーインです（さらに長くてすいません）。だから仕事の合間に、ここに入ると動きたくなくなり、ずーっと妄想を膨らませて、幸せを感じてしまいます。

いい町にある、いいレストランです。

Paniolo Country Inn
65-1214 Lindsey Road, Kamuela／
808-885-4377／Mon-Sat 7：00-20：30,
Sun -20：00／Map5（P231）

Ⓐ ワイピオはハワイ語で、ワイ＝うねっていること、ピオ＝ピュアな水があることを表します。キングカメハメハ1世が、ワイピオバレーの3つ目の渓谷で生まれたという話は有名な話。また1946年に津波が来たとき、タロイモは流されてしまったけれどそこに暮らしていた人々はひとりとして亡くならなかったという話も。その後も何度も津波は起きましたが、それでも誰も亡くなることはなかったのだそう……。神聖な空気で覆われたこの地のもつ、強い力を感じる話です。それらの話を知ってから、ずっと、渓谷を見下ろせる小さな公園のようなところからただひたすら、その美しいうねりと、果てしなく広がる深い海の青を見てきました。が、このたびその神聖なる地に下りて参りました。

約1,000フィートの高さを1マイルほど、かなりの斜度で下りていくこのツアー。自分のクルマで下りる人もいますが、ハンドルを握る手に汗がにじむだろうなぁと思うほど、かなりスリリングな坂道が続きます。しかも、いっさい舗装されておらず、ガタゴト道なんて言葉じゃ片付けられないほどサバイバルな道でした。聞けば、1960年からずっと変わらずこのままなんだとか。ガイドのおじさんはそれでも慣れたもんで、「歩いて下りるやつもいるけれど、下りるときは1マイル、登るときには10マイルの感覚だよ～」と言って、豪快に笑いながら運転していました。窓の外を見ると、ジェットコースターで下るときのように鋭角な角度が続いています。下に下りたら下りたで、川の中を普通の道のようにして進んでいったり、野生の馬がポクポク歩いていたり、と意表をつくことの連続。ちなみに、アメリカで2番目に高い滝とされる、ヒイラベという滝も見ました。あのギャビー・パヒヌイが歌う「ヒイラベ」という曲は、この滝のことだったんですね～。

Ⓜ 朝早くにこのワイピオバレーのルックアウトに行くと、谷の向こう側の崖がゆっくりと上から明るくなっていくのがわかります。だんだん太陽が当たってきて、谷に光を差し込んでいくのです。そういう自然の、本当に当たり前のことをこんなにも美しい姿として見せてくれる場所……、このワイピオバレーをはじめ、ハワイ島にはそういうところがたくさんあります。この谷には、何度も下りました。毎回仕事なのですが、そのたびに少しずつこの谷の様子を見させてもらっています。この谷でタロイモ畑をやっている農家を訪れたりもしました。そのときは、もちろんツアーコースではないため、橋のない川を車で横切る（ツアーでも川を横切らないと、その奥には行けないのです）だけではなく、その川の中を車で遡ったりするのです。そうしないとその農家の方のお家には行けないのです。と考えると、そこに住んでる農家の方にとってはそれが普通で、谷の外に出るにはそこを通らなければいけないのです。雨が多い日は、川の水量が増すので、きっと出かけられなかったりするのだろうと思います。そうやってその谷に住んでる人たちは、いまでもちゃんと自然に逆らわず共存しています。素敵です。でも、この谷に生まれた子どもたちは大変です。下手をすると学校はこの谷を上がったところにしかないので、毎日、この谷を上がって下がって、川を横切り、遡り、泥んこになっていかないと、学校に通えないのですから。

Waipio Valley Shuttle
808-775-7121（Reservations）／
Mon-Sat 9：00-11：00・13：00-15：00／
$50 for adults（$25 for 2-12years old,
0-1years old free）／Map1（P229）

30 | Waipio Valley

31 | Waimea Natural Food Storeのサンドイッチ

Ⓜ以前、カメラマンさんとライターさんと3人で、ハワイ島へ取材に来たときのこと。ふたりはヘリコプターに乗り、空撮をしていました。あっ、違う！　船に乗って、海に出てったと思います。そのとき、きっとお腹を空かして帰ってくるだろうと思い、なんかおいしいものはないかなと立ち寄ったのが、このナチュラルフード屋さんでした。実は僕、気取ってるわけではないのですが、ときどきナチュラル志向になります。妙にヘルシーが好きになるときがあるのです。きっと普段からジャンクなモノばかり口にしているからだろうと思います。とにかく、そのときちょうどそんな気分で、このお店に入り、目についたのが固い豆腐のサンドイッチでした。以前、バレというハワイのあっちこっちにあるベトナム料理のテイクアウト屋さんで、豆腐サンドイッチを食べたとき、そのうまさに感激したことを思い出し、そのサンドイッチと、もうひとつ近くにあった興味深いサンドイッチを買うことにしました。それが、このお店との出合いです。

このお店は、ワイメアショッピングセンターの一番西側の角にあります。広い店内には、たくさんのオーガニック系のものがあり、その種類の豊富さから、この辺に住んでいるヘルシー志向の人たちにとってここが大事な場所であることが確信できました。だけど、似非ヘルシー野郎の僕は、正直、その商品群にはさほど興味がなく、どうしてもその手のスーパーに行くと、デリのほうに足が向いてしまいます。先にお伝えした、サンドイッチにひと目惚れしたのです。そうそう、ひと目惚れしたのにはちゃんと理由があります。僕は大学生時代に、ルームメイトが作るサンドイッチが大好きでした。彼は、必ずサンドイッチにSPRUTSを入れるのです。日本語でなんというかわかりませんが、なんかアルファルファみたいなやつです。そのSPRUTSが入ってるサンドイッチが、大好きなのです。シャリシャリした歯ごたえで、野菜食ってる！　と思わせてくれる、それがはみ出しているサンドイッチは、僕にとってたまらないものなのです。

海から帰ってきたみんなが、そのサンドイッチをほおばってどう思ったかはわかりませんが、僕はそれからここのこのサンドイッチが大好きになったんです。

＊写真のサンドイッチがまさにそれ！　「teriyakitofu misomayo」$6.75

＊後でわかりましたが、SPRUTSはそのままスプラウトでした（笑）。

Healthways Ⅱ
67-1185 Mamalahoa Highway #F137,kamuela／808-885-6775／Mon-Sat 9：00-19：00,
Sun 9：00-17：00／Map5（P231）

32 | Waimeaのファーマーズマーケット

Ⓐ ふさふさと気持ちよく芝生が生えた広い敷地。そこに円を描くようにテントが並ぶ、ワイメアのファーマーズマーケットは、テントの間ひとつひとつの間隔にかなり余裕があるところが、とてもゆるくていい感じ。クレープやプレートランチを売っているテントの横にはたいていテーブルとイスがセットしてあり、自由に座って飲み食いもできました。販売しているものは、基本的にワイメアでとれた野菜や果物など。と、それを使った加工品―ジャム、クッキー、パウンドケーキなど。あとは花や植物、レイなども。小さな町のファーマーズマーケットは、皆知り合いなのか「おはよう」と声を掛け合っては、ハグしたり、肩をポンとたたき合ったりと、なごやかな雰囲気。すっかりその場の空気に溶け込んだつもりの我々は、朝ごはん用にと、それぞれ好みのものを買い、テント横のテーブルで食べることに。マコトは照り焼きチキンとラウラウのプレートランチ（断っておきますが、これは朝ごはんです！）、おりえちゃんはトマトそのもの！私はエッグベネディクトとコーヒーを。あれこれ交換しながら食べていたら、近くに座っていた日系のおばあちゃんとおじいちゃんが、ニコニコと微笑みかけて、テーブルの上にのっている大きな保存容器のようなものを私たちのほうへ差し出すのです。そしてひと言「タダだから」って（笑）。やだな～、Freeって英語くらいわかるけど～（笑）、と思いつつ、微笑み返してふたをあけるとそこにはぎっしりとキムチが詰まっていました。もちろん、いただきました！これが超うまい！　こんなにおいしいものがタダだなんて。なんとものんきで幸せなファーマーズマーケットなのでした。

＊おみやげにリリコイジャムとバナナパンケーキ、ピカケの練り香水も購入。ジャムは、とってもジューシー。ケーキはねっちり、しっとりでした。

Ⓜ タダより高いモノはありません。キムチをタダでたくさんいただいた後、僕らは農場に連れて行かれ、せっせと働かされました。

なんていうことはあり得ませんが、KCCファーマーズマーケットのような、いまや人でごった返してるマーケットとは違い、素朴でちゃんと地元に密着していて、それでいて観光客の皆さんもウェルカムというバランスのいいファーマーズマーケットが、このワイメアのファーマーズマーケットだと思います。うれしいことにその場で食べられるものも充実しているし、人は皆優しく接してきてくれるし、いうことなしのマーケットです。マーケットというより、その様はまるで村のお祭りのようで、みんながそこに集まって世間話をしたり、のんびり過ごしたりしている感じなのです。

こんなのが毎週ある村に、僕は本当に住みたいです。そして、みんなに「あのおじいさんはおしゃべりだから気をつけろ」って言われて、注目されたりしたいな～。

Hawaiian Homestead Farmers Market
Kuhio Hale Building, 64-759 Kahilu Road, Waimea／808-885-5627／
Every Sat 7：30-12：00／Map1（P229）
＊19号線を左折、少し進んだ左手。

GUAVA JAM
$4.00
Lilikoi Jam
$4.00

33 | Waimeaのホースウィスパー

Ⓜ ホースウィスパーという馬としゃべれる人がワイメアの町にいると聞き、取材を申し込んだことがありました。ちょうどアメリカ本土に出かけていた本人の代わりにと、取材に応じてくれたのは彼の息子さんでした。寡黙で、素朴な好青年。プラス、ハンサムな彼は「いま、馬たちは僕らが何者か話し合ってるよ。もう少しして、話がまとまって危害を加えるような奴らじゃないとわかったら、まず1頭近づいてきて、それからそろりそろりとみんなやってくるから、そうしたら今度、僕がその最初の1頭に話をして全員に言うことを聞かせるようにするから見ててね」と、僕らに説明してくれました。しばらくすると彼の言うとおり、面倒くさそうになんとなく1頭が僕らに近づいてきて、その後にゆっくりと他の馬たちもやってきたのです。そしてあれよあれよという間に、彼の言うことを聞くようになったのです。

そのときからです。僕がホースウィスパーという人物の存在を信じ、彼のお父さん（本物のホースウィスパーと全米で呼ばれてる人物）に会いたいと思ったのは。それから数年経った今回、ようやく会うことができました。が、意外にもその人物は……見た目、普通のおじさんでした。あれ!?息子さんのほうが雰囲気あるような……。と、正直思っちゃいました。でも、話を聞いてくうちに、やっぱり……と思わせることを言ってくれたのです。それは「馬でも人でも植物でも、会話は心でするものなんだよ」ということ。そして「人間は言葉で自分の気持ちや感情を伝えるけど、ずーっと昔は言葉もなく、身ぶりや手ぶり、目の動き、体の表現を見て、喜怒哀楽を理解してたんだ。だから馬だって、そのとおりに馬と同じ目線にして、気持ちを伝えることができれば、会話はできるんだよ」と。頭ではわかっているつもりでも当たり前のことだから、つい忘れがちになってしまう。僕の悪いところです。僕にとってハワイは、そんな大切なことをいつも思い出させてくれるところでもあるのです。

Dahana Ranch
P.O.BOX1293,kamuela ／
808-885-0057 (Reservations) ／
1hour 30minutes $70
($60 for 3yearsold-12yearsold),
2hours (advance) $100,
2hours 30minutes (Cattle Drive) $130
／Map1 (P229)

Kohala Book Shop
BOOKS

34 | Kohala Book Shop

Ⓐ 数年前、オアフ島にあった大きな古本屋さんが店を閉め、そのときあった本すべてがコハラ地区の本屋さんに引き取られたという噂を聞いたことがありました。キングカメハメハ1世のオリジナル像が建つ、ハヴィの町にある本屋さんがその噂のお店(ちょうど、カメハメハの像の斜め前にあります)。赤と緑のフレームの窓にカスタードクリームのような壁の色がかわいいお店は、ごく普通に新刊も扱っているのですが、入って手前右側にあるハワイに関する古本が収められている棚がとてもいい!。その棚の前に座り込んで、ハワイの花や植物、歴史の本を探す時間は、この町での楽しみのひとつです。もうひとつ。レジに向かって左脇のガラス張りの扉がついた本棚も、大好きな棚。いわゆる希少本が大切そうに収められたその本棚に、あのリリウオカラニ女王が幽閉され、その後、解放されるまでの話を綴ったといわれている『HAWAII'S STORY BY HAWAII'S QUEEN』を発見! 高価な値段がつけられていたので、ただひたすら眺めるだけでしたが、あぁ、ここでも会えたと思い、幸せな気持ちになりました。お店を切り盛りしているであろう上品なおばさまは、あまりにしつこく眺めている私を見かねてか、にっこり微笑み「中を開けてご覧になって」というようなことを言ってくれました。お礼を言い、そぉっと本を手に取りました。若干震えていたかも知れません。ゆっくりページをめくると、ぎっしり隙間がないくらい英語が……(当たり前か)。それでも理解できる単語を探しながら、しばらくずーっと見ていたら、隣りの図書館に本を探しに行っていたはずのマコトがふいに後ろから「そんなに欲しいなら買えば?」とひと言。「ちょっとー、ビックリするじゃないのさ! 欲しいのは山々だけど、それを簡単に手に入れちゃ楽しみが減るでしょ」と、負け惜しみを言い、涙を呑んで本を棚に戻しました。今度行ったときにもあったら、またそこで同じ行動をして、同じように悩むことはわかっているけれど、それでもまた行ってしまうんだろうなーと思いつつ、お店を後にしました。

＊ハワイに関する本は新刊でもいろいろ取り揃えてありました。その他のコーナーもかなり充実。
私は大好きなスヌーピーの本を買いました。

＊な、なんと! 2009年2月1日をもってこのブックショップも閉店になってしまいました(涙)。
あぁ、やっぱりマコトの言うとおり、買っておけばよかった〜。

Kohala Book Shop
Closed Down on 2/01/09/Map2(P228)

Ⓐ ハヴィに行くと決めている日は、おなかをすかして行くことにしています。それはあれこれ食べたいものがあるので。そのひとつがこのアイスクリーム。ハワイのフルーツや木の実などをふんだんに使った手作りのアイスクリームは、とろんと濃厚で、クリーミーで、何個も食べられるおいしさ。一番のお気に入りは、マカダミアナッツ。プチプチ入った香ばしいナッツが口の中でクリーミーなアイスクリームと混ざる瞬間がたまらなく好き。アイス自体にもたっぷりとマカダミアナッツの味が盛り込まれています。フルーツものは、クリーム系でもシャーベット系でもどちらもおいしい！　シャーベットはさっぱりだけど、濃厚で、イタリアンジェラートのような食感のものも多かったように記憶しています。ごはんを食べる前に、ちょっと甘いものを。食べた後にもデザートとして。何度もおかわりしちゃう、ハヴィのおいしいものです。

＊住所がわかりません！　ごめんなさい！
でもハヴィに行けばすぐわかりますから〜。

Map2（P.228）

Ⓜ 本物のカメハメハの像があるといわれているハヴィの町。小さいけど、おいしいものがありそうな町（ほんのちょっぴり観光地っぽくもなっている今日この頃ですが）。バンブーレストランは有名だけど、その他にもアカザワさんおすすめのアイスクリーム屋さん、パン屋さん、メキシカンレストランなどなど、地味ながらにいろいろあって、食うに困らなさそう。

僕のお気に入りは、メキシカン。僕は、なんの香辛料だかわからないけど、ちょっと独特のあの香りが好きです（クミンっていうんだそうです。後で知りました）。インド料理でも、エジプト料理でも、地中海料理でもちょっぴり香るあの香りの料理が好きなのです。と、そんなことはどうでもいいのですが、このメキシカン料理のお店、量がすっごく多いから気をつけてください。ふたりで1人前ぐらいが程よいと思います。でも、かなりおいしいです。旅行中にみつけたおいしいものって、すっごい発見した気分で、なんか幸せですよね。

Mi Ranchito
Kohalu Tradecenter／808-884-5152／
Mon-Sat 11：00-20：00, Sun Closed／
Map2（P228）

36 | Hawiの図書館

Ⓜ 以前、ハワイ島をフラフラとしていたときのこと。大きくなだらかな赤い屋根の建物にヤシの木の影が映り込んでいるのを見て「あ、ハワイ……」と思いました。僕が想像していたハワイはこういう景色だったのです。それがこのハヴィの町にある小さな図書館と知るのにさほど時間はかかりませんでした。あまりにその風景が気に入った僕は、さっそく、写真を撮り、その写真を元に絵を描いてそれを年賀状にもしたほど。以前は写真を撮っただけで中には入りませんでしたが、今回は中に入りました。

図書館の中に入ると、目立つのは本の量の多さではなく、真ん中に置かれたテーブルの大きさとそのテーブルを囲んで子どもたちが思い思いのことをしている様子でした。本棚はわりと高さのあるものがその奥に申し訳なさそうに、数個程度しか並んでおらず、収まっていた本はどれも昔から大切に扱われてるような古めかしいものでした。日本のどこかの町では図書館が子どもたちの唯一の娯楽の場所で、そこにみんな集まって本を読んだり、友達としゃべったり、遊んだりして過ごしていると、昔、テレビで見たことがあります。ここはきっと、まさにそれと同じような状況なのかなぁ。小さな小さなハヴィの町にある小さな小さな図書館は、きっとみんなにとって大きな大きな夢をつくる場所のように思いました。

偶然ではありますが、その場所を選んで写真を撮って絵を描いた僕は、もしかしたら見えないその存在の大きさをそのときどこかで感じていたのかも知れません。それがうれしくて今回、この本でなんでもないこの図書館を紹介させていただきました。すみません、ひとりよがりです！

Map2（P.228）

年末に大掃除をしながら
書類の整理をしていたら、
ずいぶん前にマコトから送られてきた
懐かしい年賀状が出てきました。
本当にマコトはこの図書館が
気に入っていたんだなぁってことが、
わかった一枚です
（絵も自分で描いたようです。
意外とマメなんですよね（笑））〈**A**〉。

BOND MEMORIAL PUBLIC LIBRARY

Today is
my birthday.

37 | King Kamehamehaオリジナル

Ⓐ ハワイに行ったことがある方で実際にキングカメハメハの像を見に行ったことがある人ってどれくらいいるんでしょうか？　オアフ島にツアーで行ったりした方は、きっとバスの中から見たりしたことがあるかも知れません。その像が実はハワイには3つあるって知っていましたか？　オアフ島にひとつ、残りふたつはハワイ島にあるんです。ひとつはここハヴィに。もうひとつはヒロに。で、このハヴィのものがオリジナル、といわれています。もともと、オアフ島に置かれる予定で作られたというその像が輸送途中の事故で海に沈んでしまったとか。その後、引き上げられたのですが、そのときにはすでにオアフ島には新たにできあがった像があったため、この最初につくられた像は、ハヴィに運ばれた……、というわけ。3つとも微妙に顔が違いますが、どれもそれなりに凛々しくてステキです。

ちょうど1世のバースデーの日、クルマを飛ばして挨拶に行ってみることに。

高く掲げられた像の腕にも首にも、長く美しいレイがぎっしりとかけられていました。ここ数年たまたまですが、王様のお誕生日にハワイにいる私は、ありがたいことに、この光景に遭遇することができるのです。ちょっと重そうですが、いつもより優しく、かつ凛々しい姿に惚れ惚れ。5カ月前に来たときは、像のまわりの芝生の上でフラのビデオ撮影が行われていました。よ〜く撮影を見ていたら、そこにはなんと椅子に座り、にこやかに皆が踊る姿を見守るジョージ・ナオペ氏の姿も！　こんな間近でふたり？（キングカメハメハとジョージ・ナオペ氏です）を前にできた私は、かなり興奮！　握手までしていただき、感激でした。

ヒロの像は、ワイコロア州立公園の中にあります。カメハメハ通りからもよく見えます。ヒロを訪れた際は、ぜひ、見に行ってみてください。こちらは少し太めのような気がしますが、やはり、とても凛々しいです！

Map2（P.228）

38 | Hawiのスイートショップ

Ⓐ ハヴィの町はとてもとても小さな町。クルマで通り過ぎたら、そうだなぁ、速度にもよるけど、ほんの2分くらい（そんなにかからないかも!?）。とにかくあっという間に通り過ぎてしまうような小さな町なんです。両側に建ち並ぶお店はどれも低い2階建ての古いもの。そこにギュギュッといい店が詰まっています。

そのひとつがこのスイートショップ。味のある木のフレームのショーケースにちょん、ちょんとお行儀よく並べられたケーキは、アメリカのポップな色で飾られたものとは違う、上品なもの。それでいてリリコイチーズケーキ（$4.75）、マカダミアナッツスティッキーバーン（$3.75）などハワイらしいネーミングのものが勢ぞろいしているあたりがグッときます。手作りのピザもイートインできるらしく、小さな店内はいつも人でいっぱいでした。イートインできるといっても中に小さなガラスのテーブルがひとつとイスが4つ。カウンターらしきものがひとつあるくらい。あとは、外にこの建物全体のカウンターがあるので、そこで食べている人もちらほらいました。私たちは、スーパーで見かけるものの2倍はありそうな手作りオレオとリリコイチーズケーキ、マカダミアナッツスティッキーバーンをオーダーし、むしゃむしゃ。そして期待以上のおいしさに、とにかく驚いたのです。これは言い過ぎかも知れないけれど、ハワイで食べたいわゆるきちんとしたケーキ屋さんのなかで一番おいしかったと言ってもいいくらい。あまりにおいしくて、帰り際にバナナパイを1ピース持ち帰りしてしまったほど。そして今度は帰りのクルマの中でむしゃむしゃ。軽い食感のクリームにたっぷり入ったバナナの濃厚でゴロッとした食感がぴったり。サクサクのパイ生地もバターの風味がちょうどいい利かせ方で、なんともセンスのいい味でした。ウインドウ内のお菓子、全部チャレンジしたいくらい、幸せなおいしさです。あぁ、いますぐにでも食べたくなってきました〜。

Short N Sweet Bakery and Cafe
55-3419#5 Akone Pule Highway,Hawi／808-889-1444／Fri 9：00-17：00, Sat-Thu -16：00／Map2（P228）

Māhukona 8
Kawaihae 19
Kapa'au 2
Pololū 9

39 | Hawiの坂道

Ⓐ ハヴィの町を通るメインストリート……、そう呼ぶのもちょっとはばかられるほどの小さな町には、私の好きなお店が凝縮されています。その町の真ん中に立ち、熱気のあとにスーッと流れるようなやわらかな風を受ける瞬間はなんともいえず、気持ちがいい。わりに勾配があるハヴィの町。真ん中部分は一番高さがあるので、気持ちのいい風を受けながらじっと道路の向こう側、遠くを眺めていると坂から上がってくるクルマの鼻先が姿を現します。反対を振り返るといま来たクルマのしっぽが少しだけ道路と重なって見えたと思ったら、すっと消えてなくなっていきました。この坂から上がっては消えていくクルマを幾度となく見送って、熱気と涼しい風を交互に受ける、そんなボーッとした時間を過ごすのも好きです。この町はそういうなんでもない時間をくれる、フラットなところのような気がしてならないのです。

40 | お気に入りのロゴマーク、いろいろ

Ⓐ お菓子やスナック類のパッケージデザイン、お店やホテルのロゴ、エアラインのロゴ、ハワイにはたくさんのかわいいロゴマークがあります。
　今回は特にハワイ島ということにしぼって見てみました。

＊海外に行くと、スーパーチェックは欠かしません。特に卵のパッケージは毎回チェック。Maunakea Brand（マウナケアブランド）の卵のパッケージは、ハワイらしいポップな色味と書体がめちゃかわいい！

＊パーカーランチショッピングセンター内にある、パーカーランチストアのロゴマーク。ここにはこのマークの入ったものがいろいろあります。一番かわいいのはこの木の看板なのですが、おみやげものとしてはロゴマークが赤と緑でプリント（バックプリントでした）されたチビTシャツや鉛筆（鉛筆という小さな場所にちょこんとプリントされている様がまたいい！）、タオル、マグカップなどなど。どれもかわいくていろいろ買っちゃいました。本格的なウェスタンブーツも売っています！友人Mは、ちゃっかりブーツも買い込んでいました。とてもいいものみたいです。

＊ボルケーノハウス（P38）のロゴマークは、火の神様ペレが炎に包まれているかのようなデザイン。下に配された書体もかわいくて好きです。このマークが付いたものは、ホテルに入って右手のおみやげ屋さんにいろいろあります。

そのほかにも、パニオロカントリーイン（P74）のメニューの裏側に記された、いろいろなパニオロのマークや、コナビレッジ（P124）のバーで出てくるマドラーのマーク、2009年復活を遂げる予定のマウナケアリゾートホテルのロゴマーク（そこのオリジナルトートバッグやスプーンなどもかわいいです）などもお気に入り。キュート揃いです。

＊2008年に長い歴史に幕を閉じたアロハエアライン。ネイバーアイランドに行く際は、必ずアロハエアラインで、と決めていただけにかなりショックでした。このロゴマークも大好きでした。荷物に取り付けてくれるシールも大事にとっておいて手帳に貼り付けたりしていたくらい(機内で出してくれるペーパーナプキンもかわいかったです)。写真は、ハワイ島で見かけたトートバッグ。かわいいですねぇ。アロハエアラインの昔のキャビンアテンダントの制服もオレンジと黄色、赤などのカラフルな色でまとめられたポップでキュートなものでした。ネイバーアイランドに向かう際の、空港内通路にあった大きな写真で見かけた人も多いでしょう。当時の制服と似た模様のオレンジ、黄色、赤の花を模した機体がときどき走っていると聞き、空港で見られるかなぁと思っていたら、走っていましたよ、空港内をゆっくりと。これから飛び立つんでしょうね。とびっきりのかわいさでした。それを見かけたのは、'08年の1月のこと。とっても悲しいです。本当にお世話になりました。ありがとう。

41 | Hilton Waikoloa Village

Ⓐ はじめてここに宿泊したのは新婚旅行のとき。ホントのホントにはじめてハワイに来たときに宿泊したのも、ヒルトンハワイアンビレッジだったし。縁があるんですかね〜。

さてさて、ハワイ島のヒルトンはコナ空港から少し北上したワイコロアというリゾート地にあります。手前にはショッピングモールもあり、なにかと便利。最近では、話題のタイムシェアなるものも、その周りにずいぶん増えました。ホテルがあるのはその奥の奥。海に一番近いところに建つのが、ヒルトンワイコロアビレッジです。東京ドームの5倍、62エーカーという広さを誇る敷地は、ホント、たとえようがないくらいとにかく歩いても、歩いても目的地にたどり着けないという広さ。そのためホテル内はモノレールのようなものか、あるいは敷地内をぐるりと囲むように ある川を船で行き来できるようになっているのです。う〜ん、便利！　部屋の数は、全1,240室！　ほぼ同じつくりだそうですが、眺めはずいぶんと違ってきます。私のお気に入りは、メインロビーの右手にあるオーシャンタワーの一番海っぺりの部屋の1階。なぜ、1階なのかというと、そこから芝

生が生えた庭に直接出られるし、海もすぐそこだから。夜は、波の音が聞こえるくらい海が近いんです。芝生にはところどころハンモックやカバナが置いてあり、自由に使えるのもうれしい限り。天気の良い日は海の向こうにマウイ島のハレアカラが、ごく間近にくっきり顔を出す姿も望めます。それから夕方になると、敷地の反対側から青年がタイマツを持って走って来て、ほら貝を吹きながらサンセットを告げてくれるなんてロマンチックなことも。それをラナイにある椅子に座り、ビールでも飲みながらのんびり眺めるのは最高にゆるりとした時間。不思議なことに、こんなにたくさんの部屋数があるのにもかかわらず、混雑しているという気になったことが一度もないのです。充分過ぎるほどにとられた庭やプール、すぐ近くの海がそう感じさせてくれるのでしょうか？　いつも不思議だなぁと思うのです。夕暮れに敷地内を散歩するのも気持ちいい。ラグーンタワーの前にあるドルフィンビレッジでは、スイスイと気持ちよさそうに泳ぐイルカにも会えます！　またまた1杯、飲みたくなったらラグーングリルで、ビールをオーダー。イルカを見ながら、ボーッと過ごすことができます。なんとなく大きなホテルは……、と敬遠する人もいるかも知れません。こぢんまりとしていたほうがいいって。でも、ここは大きくても細かな配慮が行き届いているから大丈夫です！　最後にここがハワイらしいなと感じた一番のことを。それは、ベルボーイたちのアロハな感じ！　皆、いつも超優しいスマイルで、迎えてくれるのはもちろんのこと、プロだなぁと思うのは、ほんの一瞬荷物を運んでくれたり、挨拶しただ

けでもちゃんと顔と名前を覚えていてくれること。それにはいつも感動します。朝、会うと「モーニング！　かおり！　今日はどこ行くの？」といったふう。まるで、自分の家に帰ったような、そんな気持ちをくれるところでもあるのです。

＊ホテルでの食事はラグーンタワーの先、
海が目の前の絶好のロケーションにある
ヒルトンのメインダイニング
「カムエラプロヴィジョンカンパニー」が
おすすめ。サンセットの時間に合わせて
シートをリザベーションしておくと、
それはそれはハッピーな時間が過ごせます！
この日、私たちはラナイの席で
シーフードステーキ、リブアイステーキ、
ハワイアンスタイルSashimiなどを
いただきました。
できるだけ新鮮なものを、との
シェフのこだわりから食材のほとんどを
店名どおりワイメア（カムエラとワイメアは
同じ場所を表します）から仕入れているのも、
グッときますよね～。
どれも素材を生かしたシンプルな味付けで、
おいしいです。

Ⓜ大学を卒業して、僕はしばらくハワイのホテルで営業として働いていたことがありました。そのときの僕のすぐ上の上司は、いまや別のホテルチェーンのアジアパシフィック地区で、一番偉い人になり、さらにその上の上司は、最近あるホテルのジェネラルマネージャーに昇進したばかりです。僕も、この人たちについていけばよかったのかな？　ってときどき思うことがあります。でも、それはそれ。僕は僕です。好きに生きるのです！

このホテルが僕が勤めていたホテルのチェーンだった頃。研修で1週間ほど宿泊したことがありました。そのとき、このホテルの本当の広さを感じました。こんなこと書いていいのかわかりませんが、このホテルの下には小さな地下都市があります。そこでは、自転車に乗っている人、車で徐行している人、また、たくさんの部屋や通路が入り組んでいて、その中のあっちこっちで人の群れができていました。でも、地上に上がると、その慌ただしい動きが想像できないくらいに静かに、みんながのんびり過ごしているのです。まさにリゾートなのです。地下で働いている人たちは、ゲストを喜ばせるために、たとえば部屋をきれいに掃除したり、庭をきれいにしたり、プールをきれいにしたり、安全を守ったり、足りないものを届けにいったりしています。本当のリゾートとは、そういう目に見えないところを見せずして、幸せを与えてくれるところだと、このホテルに泊まるたびにいつも思い出します。

このホテルが、大きすぎて嫌いという人もいるかも知れません。実際、歩いて敷地内を散歩すると、一周、ゆうに約1時間はかかります。でも、歩いていても退屈させないし、どこもかしこもちゃんときれいにされていて、ちょっと遊園地にいるみたいな気分にもなります。気取りのない、だけど、しっかりしたリゾートの姿を見せてくれるここに、いつも安心感をもっている僕なのです。

今日も、たくさんの人たちがこのリゾートで働いています。ありがとうございます!!

Hilton Waikoloa Village
69-425 Waikoloa Beach Drive,Waikoloa／
808-886-1234／
www.hiltonwaikoloavillage.com／Map1（P228）

42 | Loco Mocoいろいろ

ご飯にハンバーグパテ、目玉焼き、それにグレービーソースのロコモコは、ご存知ハワイならではのメニュー。ハワイのあちこちで見かけることができます。ということで、あちこちで食べまくってみました。わりとマコトも私もこういうガッツリ系メニューが好きなほうなので、恐ろしいことにいくら食べても食べ飽きることがありませんでした。そしてどこも、当たり前かも知れませんが、微妙にグレービーソースの味もパテの感じも違っていました。ご飯もフライドライスだったり、白飯だったり。ハンバーグパテだけじゃなく、マヒマヒやチキンカツなんてものもありました。ハワイ島のおいしかったロコモコベスト9！ どうぞ～～。

Hanahou Restaurant
95 - 1148 Naalehu Spur Road,Naalehu／
808 - 929 - 9717／
Sun - Thu 8：00-19：00,
Fri - Sat 8：00 - 20：00／Map1（P228）

トロトロのローストポークとしっかり濃い目のグレービーソース、それにほとんど生に近い目玉焼きが2エッグ分十ハンバーガーパテがのった豪快ロコモコ（$8.50）。上にのった万能ねぎの小口切りがいいアクセントになっていました。卵をつぶしながらぐちゃぐちゃにして食べるのがいいタイプです〈**A**〉。

Cafe100
969 Kilauea Avenue, Hilo／808 - 935 - 8683／
Mon - Thu 6：45-20：30,
Fri - 21：00, Sat - 20：30, Sun Closed／
Map6（P231）

ハワイで一番古いロコモコのお店（本当はその裏のお店がロコモコ発祥らしいのですが、閉めてしまったのだそう。以来、ここが一番の古株です）。いつもは$1.99のロコモコがウィークスペシャルでなんと$1.75になっていたうれしい朝！ 炊きたてご飯に卵1個分のサニーサイドアップ、ハンバーグパテ、あっさりした味わいのグレービーソースといった正統派ロコモコ。こんなにちゃんとしててボリュームもすごいのに、このお値段！ すばらしすぎる～〈**A**〉。

SUMOLOCO!!!($10.95)これをオーダーすると、店内に鐘の音が鳴り響きます。そしてラーメンの大きな丼よりもさらに大きい、どこでみつけてきたのかわからないぐらい大きな丼に、想像を超える量の具とご飯が盛ってあるロコモコが運ばれてきます。と、そのことと僕の言いたいことは違うのですが、ここのロコモコは手を変え、品を変えていろんなかたちで僕らを楽しませてくれる、元祖変形ロコモコといっても過言ではないのです。メニューのデザインというか、それ自体のハチャメチャな感じも、さらに僕らの夢をかき立てるのです。うまいとかそういうもんじゃなくて、楽しくてワクワクするロコモコがここにあります。ちなみに写真の変化球ロコモコは、マヒマヒがのっているマヒモコ($7.15)です。あっ、そういえば変形ロコモコの元祖は、カフェ100っぽいけど……〈**M**〉。

1730 Kamehameha Avenue, Hilo／
808-935-8711／24hour／Map6(P231)

Tex Drive In

いっぱいロコモコを食べていたら、ここのロコモコがどんな味だったか忘れちゃいました。このドライブインは、ホノカアの町の上を走るハイウェイからちょっとホノカアの町に下りる脇道に入ったところにあります。マラサダが有名で、それがメインのつもりで訪れたのですが、そのときはマラサダよりこのロコモコのほうが目に入って注文したのだと思います。その後、トイレに行ったところで、実は、このドライブインが、あのマラサダで有名なドライブインだと気付いたのです（いつもトイレをきっかけに何かに気が付きます）。ロコモコは、昔、草フットボールチームの人が練習の後に、リンカーングリルというお店にやって来て「50セントでなんか作って！」とお願いしたことから生まれたもの。お店の人は、ご飯に残り物のハンバーガーパテをのせて、味付け代わりにグレービーソースを上からかけました。これがロコモコのはじまり。と、いわれてることを知ってました？　昔は卵はのっていなかったんだそうです。名称はスペイン語からきていて、決して「ローカル」のロコではないそうです。と、僕が知っているのはここまで、です〈**M**〉。

45-690 Pakalana Street Highway19, Honoka'a／808-775-0598／6：00-20：30／Map3（P229）

Teshima's Restaurant

メニューにロコモコはありませんでした。でも、ウェイトレスさんに「作れる？」って聞いてみたら、「Yah, Of Course!」と言われたので、作ってもらったのです。すでにそのときお腹はパンパンでしたが、いざロコモコがきてみたら、おいしくて全然食べれちゃいました。特にグレービーソースがしっかりしていて、それだけでも味わえるようなおいしさだったので「このグレービーは、何が入ってるの？」と聞いたらわざわざキッチンまで聞きにいってくれました。しばらくして僕らのところに戻ってきて、永遠と中に入っているものを教えてくれました。その話を聞きながら、そのロコモコを超グルメな気分（まるでシェフがすぐ傍で説明をしてくれているような感じ）で食べていると、化学調味料的な単語が耳に入ってきたのです。「えっ？」早い話、既製品のグレービーソースを使っていました（笑）。「うん、やっぱロコモコはそうでなきゃね！」と、僕ははにかみながら彼女に言いました。恥ずかしかったです〈**M**〉。

79-7251 Mamalahoa Highway, Kealakekua／
808-322-9140／
6：30-13：45, 17：00-20：30／Map1（P228）

こちらはカラリと揚がったチキンカツにトロトロの目玉焼き2エッグ分がのった、チキンカツロコモコ($9.75)。サクサクのカツとグレービーソースがかなりぴったんこな味わい。4スクープのご飯もこれならぺろりと平らげられます。グレービーソースはたくさんの野菜をクタクタになるまで煮込んで作る、オリジナル！　どうりでおいしいわけだ！〈**A**〉。

75-5702 Kuakini Highway, Kailua-Kona／808-326-1153／6：00-21：00, Sun Closed／Map4（P230）

サウスポイントの手前にある小さなカフェのロコモコ($7.95)は、ビーフシチューのような濃厚グレービーソースが印象的なお味。こちらのロコモコの上にも万能ねぎが散らされていました。ここはすべてがていねいに手作りされていることでも有名なカフェ。クッキーやパウンドケーキなどもおいしかったです！〈**A**〉。

3019 Pohue Plaza ,Naalehu／808-939-7673／7：00-20：00／Map1（P228）

ワイメアの町にあるこのカフェは昼くらいまでしか営業していないので、たどり着くまでに気合いを必要とされるお店。ペパーミントグリーンのプレートの縁ギリギリに盛り付けられたご飯の上には2枚のビーフパテ、1エッグの目玉焼き、コクのあるグレービーソース。その上に香ばしく炒められた玉ねぎのスライスがのっていました(ハワイアンスタイルロコ$7.50)。これをソースに絡めながら食べるのが最高！　です〈**A**〉。

65-1290 Kawaihae Road, Kamuela／
808-885-4295／Mon-Sat 7：00-13：30,
Sun -12：00／Map5(P231)

ファーマーズマーケットでも食べました！　ここのロコモコはわりに小ぶり。ソースもチキン風味な味わいで、色もクリーミーな薄い茶色。上品な女子好みのロコモコでした。パテを包むようにのせられたぷるんとした目玉焼き、さらにその上に全体を覆うようにたっぷりかけられたグレービーソースと、まとまり具合もグー！。買い物の合間にぜひ！〈**A**〉。

Kuhio Hale Building, 64-759 Kahilu Road
Waimea／808-885-5627／
Every Sat 7：00-12：00／Map1(P229)
＊19号線を左折、少し進んだ左手。

43 | Big Islandの色

Ⓐ 真っ黒な溶岩土の色に、スコーンと抜けるような青のコントラストが美しいハワイ島の風景。そこにアクセントを添える植物、花、貝殻、家の色。地球上にこんなにもやわらかく温もりをくれる色があるなんて……。この島をぐるぐるまわっていると、いつもそんなことを思います。

M 真っ青な空の色に、真っ黒な溶岩の固まりとのコントラストが……。あっ、アカザワさんと一緒だ。

クロとアオ色。このコンビネーションは僕にとって、もともと嫌いな色合わせではありません。はっきりとその色と色を分けることができるコンビネーションだと思います。実は黒は色ではないんだそうですが、他のすべての色を引き立たせるのがとっても上手な色だと思うんです。

と、ここまではアカザワさんの話に合わせてみましたが、ハワイ島は広いです。僕も名前を覚えきれないほど小さな町が点在しています。そこにある建物の場所、咲いている花の種類、その土地ならではのものたちが、この頭上に広がる青い空の色とのバランスをつくり、ときには空の色を引き立たせたり、ときには自分たちの色を主役にしたり、ときにはすべてのものと調和したりしています。実際はハワイ諸島のどの島でもそうなのかも知れませんが、このハワイ島は広大な土地のおかげで、より常に広がっている空や海の青が他のさまざまな色を見せてくれているように思います。「色の調和」からなる自然の雄大さ。僕がハワイ島を好きな理由のひとつです。

44 | ドライブコース

Ⓜ 最近ハワイ島のコナ空港からカイルア-コナへ行く間は、オアフ島でもあまりないくらいの渋滞が毎日のように起きています。そのために道を広げ、いままで1車線だったところを2車線に変えているほど。

以前、クーラーの効かない1966年型くらいのシェヴィー・ノバで、ブリューワーのサーフボードを車内に斜めに押し込んでいる車が、僕の運転する4駆のレンタカーの前にいました。朝のラッシュアワーのなか、その車を運転する女の子がイライラしているのがバックミラーごしに見えました。確かに左手に見える海は、そこからでもはっきりわかるぐらい、アリューシャン列島のほうからわざわざやってきたうねりをみせていました。同じサーファーとして、その気持ちに同情しました。でも幸運なのかどうかわかりませんが、僕は仕事だったので、その波に対して「あきらめ」がありました。でも彼女はそうじゃないみたい。きっと彼女はそのうねりを見ながら、自分が波にテイクオフして大きなボトムターンを描いてトップに上がり、体を大きく傾けてトップターンに切り返し、白い水しぶきのスプレーをあげている自分を想像していたのでしょう(説明長くてすいません)。そうこうしているうちに、渋滞の原因となっていた信号に僕もその彼女もさしかかり、次の青信号で間違いなく僕らはこの渋滞から解放されるというところまで来ました。青信号になり、僕らはカイルア-コナのメインの交差点を通り過ぎ、ワイコロアのほうへゆっくりと車を滑らせていくことができるようになりました。空港を過ぎた頃には焦る気持ちを充分に抑えられる通常通りのスピード(だいたい50マイルぐらいでしょうか)を保てる状態になり、ラジオから流れる陽気なハワイアンを余裕な気持ちで聞くことができるようになっていました。が、彼女はそれでも前の車を煽るようにアクセルを踏み続けているようで、黄色1色の中央車線が点線になると一目散にその車を追い越し、その先に広がるただまっすぐな道でグングンとスピードをあげ、みるみるうちにノバと一緒に小さくなっていきました。しばらくしてフアラライを過ぎたところの舗装されていない脇道で、彼女が一生懸命運転しているノバが突き進んでいくのを見ることができました。この道は素人では簡単に行くことはできません。観光客の人が注意を無視して入り込み、ガソリンタンクに穴を開けて立ち往生するのを見たことがあるくらいです。でも、彼女は車をちゃんとコントロールして、その道を進んでいました。この先の湾にはきれいなブレイクをみせる湾があります。そこで彼女は思う存分、思い描いた波乗りをするのだと思いました。僕は彼女をうらやましく思う反面、僕には僕の進む道があると、そのままラジオから流れる陽気なハワイアンソングを聞きながら、ゆるりとワイコロア方面へと向かいました……。

＊ハワイ島はずっとホテルにいるような
ゆったりとしたステイをしない限り、
車が必要です。レンタカーは日本からも
予約できますし、空港でも借りることができます。
まっすぐに続くハワイの道を、急ぐことなく
ゆるりと走るのは気持ちがいいですよ！

gr
een
HAWAII

45 | Tシャツ

A ぶらりと散歩に出かけると、たいがい町のどこかのアンティークショップやスリフトショップ、サルベーションアーミーといったところをのぞきます。そこで何気なく目を通すのが古いTシャツ。広い店内の端から端までの何列もがTシャツだったりするので、全部見ようと思うとえらく大変。なので、気になる色味と着られるサイズ（ダンナと私のサイズ）があるところのみをサクサクッとめくっては、数枚ピックアップ。カメハメハハイスクールのロゴがプリントされたものや、アロハエアライン、ハワイアンエアラインなどのもの、昔のロキシーのもの、いまはもうないベーカリーのオリジナルのもの、ときには日本のものなど、いろいろなものに出合えます。それを数枚、ダンナと自分へのおみやげにするのが常。というわけでうちのクローゼットの中はTシャツだらけ。それでも、どうにもこのハッピーな空気を持ち帰らずにはいられない私です。

＊Tシャツは、どれもたいてい$1～5くらい。
それ以上のものはビンテージ？　に
なってしまうので、普段着を買うにはちょっと、ね。
これくらいがちょうどいいんです。ちなみに写真の左から2番目はまさに日本の古着でした（笑）。

46 | Big Islandの夕陽

Ⓐ 日本にいるときはこれほどまでにサンセットにこだわっていたかなぁーと思うほど、ハワイ島に来ると、いつもしっかり夕陽が沈むのを見ない日はないといってもいいほど、固執してしまいます。この間なんて、コナの町をクルマで走っている最中に沈みそうになったので、海を右手に見ながら「あ〜〜〜、あと少しで沈む〜〜〜！」とか言いながら、大急ぎでロイヤルコナリゾートホテルにクルマを滑り込ませ、ギリギリ間に合った〜って感じのときもありました。なぜ、そこまで!?　と思うでしょうが、それはこの夕陽を見てみないとわからないかも知れません。幼稚な言い方ですが、この夕陽を見るたびに「生まれてきてよかった」っていつも思います。なんというか、すべてのことに感謝したくなるような、そんな美しさなんですよね〜。

海に落ちる夕陽の美しさはハワイに行くようになってから知りました。燃えるような濃いオレンジが空にまで反射し、青かった空が桜貝のような色に染まっていくとき、太陽はゆらゆらと揺れながら、最初はゆっくりそして急にあれよあれよという間に海にぽちょんと落ちていくのです。まるで海の中で誰かがキュッと引っ張っているかのように。ハワイ島に限らず、オアフ島でもサンセットタイムになるとビーチにはたくさんの人が集まり、一日の終わりを見届けます。最近知ったのですが、これは観光客だけに限らず、なんだそう。ロコたちもそれぞれの家から、あるいはお気に入りのビーチから、ちゃんとその時間に合わせて一日を締めくくるんですって。なんともいい話ですよね。

Ⓜ ハワイ島ではあちこちで素敵な夕陽に巡り合えます。もちろん、オアフでもカウアイでも。その夕陽は季節ごとに場所を変え、また色を変え、空の様子を変え、僕らが生まれてから死ぬまで、やっぱり沈む瞬間とその前後、感動させてくれます。どうしてなんでしょうか？どうして夕陽は波打ってる心を静かに落ち着かせてくれるのでしょうか？　それは僕だけなんですかね？

別の本でも書いたのですが、僕は夕方のオレンジ色になってくるカピオラニ公園が大好きです。波乗りをしてゆるやかな気持ちになっている僕にとって、ただ車で通り過ぎるだけでも、その景色を見られることは至福のときなのです。それと同じような気持ちにさせてくれる夕陽を見られるスポットが、このハワイ島ではコハラの丘から見る夕陽。ワイメアの町からハヴィの町に抜ける道の途中からは、ワイコロアやコナの町も一望できます。そんな場所から夕陽を見ると、心が落ち着くどころか目に涙が浮かんできちゃうほど。もともと争いごとが嫌いで、平和主義の僕はそういう気持ちになれる場所に強く惹かれるのです。このハワイ島には、そういうところがたくさんあるように感じます。ここもそうだし、朝のワイピオバレーもそうです。サンセットのときのマウナケア山頂も、サドルロードも。そして夜のアリイドライブも……。

ささくれた僕の心を癒してくれる場所が、ここハワイ島にはたくさんあります。

47 | R19とブーゲンビリア

Ⓐ コナ空港から北上するにも、南下するにもまず通る道、R19。両脇は真っ黒な溶岩土。その向こうに遠く青い海。それから海の青よりもほんの少し薄青い空が続きます。黒い土をバックにヴィヴィッドなピンクや赤の花を咲かせるのは、ブーゲンビリア。黒土だからか、余計に鮮やかな花の色が映えるこの道。何度も何度も走っているけれど、何度走っても「あぁ、いまハワイにいるんだなぁ」って、うれしくなります。まっすぐすぎて怖いくらいのR19は、ずーっとそんな同じ風景が続いています。ただひたすらまっすぐに。そこをラジオから流れてくるご機嫌なハワイアンを聴きながらドライブするのは、とてもハッピーな時間です。

48｜白いビーチ

Ⓜ 白いビーチがないと思われがちのハワイ島ですが、ハプナエリアにはメインのビーチの他に、白いビーチがいくつかあるんです。ひとつはマウナケアホテルの下のビーチ。もうひとつは、その先のほとんどローカルの人たちしかいないちょっと小さめのビーチ。僕はここのビーチが好きです。特に夕暮れ時は、海に沈む夕陽を見ながらとっても穏やかな気持ちになれます。ビーチ自体の幅は狭いのですが、横に長く、たくさんの木々が茂っています。だから木陰もたくさんあるし、その木のおかげで横に長いビーチがいくつもに分かれていて、それぞれがシークレットビーチのようなんです。こういうビーチは、オアフ島にはなかなかありません。いわゆるシークレットビーチはいくつもありますが、こんなふうに小分けになっていて、家族やグループ単位でプライベートを楽しめるというかたちのものは、見かけることがないんです。

　このビーチは、ちょっと勇気を出してハプナビーチより先に行けば、きっとみつかります！

Baked
Sweet Potato
Steamed Taro
with Coconut Syrup

49 | ルアウショー

Ⓐ キングカメハメハの誕生日、6月11日にルアウショーに出かけました。場所はキングカメハメハコナビーチホテル。カメハメハ1世の衣装をまとった人が船に乗ってやってくるパンフレットを何度も目にしていましたが、なかなか行く機会に恵まれませんでした。が、一度はちゃんと行ってみたいなぁ、と秘かに思っていたのです。

ルアウとは、古代ハワイに行われていた宴を意味する言葉。現在、ホテルなどで催されているルアウショーは、カルアピッグ、ラウラウ、ロミサーモンなどのハワイ伝統料理をブッフェスタイルで食べつつ、ハワイ、タヒチ、フィジー、ニュージーランドなどのポリネシアンショーを楽しむというのがお決まりのスタイル。夕方、ホテル前のビーチに設けられたオープンエアの会場前に行くと、思っていたよりもたくさんの人がオープン待ちしていました。日本人はゼロ。そして意外にもロコと思われる人たちが何かのお祝いで来ていると、ちらほら聞こえる会話から想像できました。てっきり観光客向けのショーだと思っていましたが、意外とそうでもないんですね。時間になると入口で貝殻のレイをかけてもらい、入場。青空大宴会場（夜ですが）といった風情の長〜いテーブルが何列も並ぶなか、指示された席に座ると、しばらくは食事までフリータイム。その間何をするのかというと、ココナッツの葉で魚のオブジェを作ったり、インクのタトゥーを施してもらったり、フラを習ったり……。各所で行われているデモンストレーションに参加するのです。その光景を眺めつつ、我々は早くも1杯いただき、ブッフェの時間を待つことに。そろそろ陽も沈みかけた頃、ようやく合図があり、カメハメハ一族に扮した人たち（さっきデモンストレーションでタトゥーを入れてくれたお兄さんやお姉さんでした。ひとり何役もやっていて大忙し！）が船に乗ってコナの海岸からやってきました。これがなんというか、ちょっと恥ずかしい感じなんです（笑）。「見たい、見たい」

と言ってマコトとおりえちゃんを連れてきてしまったし、どうしよう……。と、思って、ふたりを見たら「あら！　意外と楽しそう」（ふたりともすごい笑っていたので）。ちょっとホッとしつつ、ブッフェ会場であれこれたっぷり皿に盛り合わせ、席に戻ってショーを楽しみました（エンターテインメントとはいえ、ちょっとやりすぎかなぁと思うところもあるのですが、まぁ、それはそれで楽しめます）。ショーも楽しいのですが、一番良かったのはすべてのショーの最後に結婚50周年のおじいちゃんとおばあちゃんや新婚さん、お誕生日などをそれぞれお祝いするシーン。司会の人が名前を呼ぶと、ふたりは立ち上がりキスを交わし、幸せそうに肩を寄せ合って皆に笑顔で挨拶していました。宴に参加している人たちは、皆それに心からの拍手をおくるという感じ。それがひたすら10組くらい続くのですが、カメハメハが船でやってくるところはともかくとして、なんとも微笑ましい宴の終わりに「やっぱり行って良かったんじゃな〜い」と満足した私です。ちなみにこちらのルアウショーのごはんは、とーってもおいしかったです。期待していなかったせいもあったかも知れませんが、相当、おいしいと思います！

数日後「もっとハワイらしいルアウショーがある」というマコトの言葉を信じてコナビレッジのルアウショーにも参加して参りました。こちらは前出のものに比べ、ちょっと上品な感じ。はじまりの音楽もウクレレやスラッキーギターによる生演奏でした。ドンドンドコドン、ドンドコドン！　といった火を噴きそうな音楽ではないはじまりにすっかり気分が良くなりました。子どもにフラを教えるエンターテインメントもゆるくてなごやか。そうそうごはんも、それはそれはおいしかったです。ほんとマコトの言うとおり！　オールドハワイアンな雰囲気としては、こっちのほうが好みでした。まぁ、比べるものではないのかも知れませんが。

それにしても、さまざまなホテルで結構、催されているルアウショー。ホテルによってもずいぶん違うものですね。また機会があったら違うホテルのものも体験してみたいなぁと思いました。ちなみに、どちらのショーでも日本人にはひとりも会えませんでした。なんでかしら〜？　こういう知らない人同士、楽しんで盛り上がる感じは恥ずかしがり屋さんな日本人は、苦手なのかも知れません。でも、一度行ってみてください。なんともいえないなごやかな空気に、恥ずかしさもどこへやら。なぜだか気持ちがホカホカになりますから。

Kona Village Resort
Queen Ka'ahumanu Highway,
Kailua-Kona／
808-325-5555／
www.konavillage.com／Map1 (P228)

King Kamehameha's
kona Beach Hotel
75-5660 Palani Road, Kailua-Kona／
808-331-6390／
www.konabeachhotel.com／
Map4 (P230)

50｜ビールのふた

Ⓐ ハワイにいると、よくビールを飲みます。暑いというのもあるけれど、炭酸のシュワッとする感じもまたカラリと晴れたこの地によく合うからなのかも知れません。なかでもよく飲むのは、コナブリューイングカンパニーのビール。ロングボード、ビッグウェイブと、ハワイらしい名前もまたいい感じなのです（最近では日本でもたまぁに見かけるようになりました）。ところで、このビールのふたをシュポッと抜いた後、裏側を見たことってありますか？　ハワイ語とそれを意味する英語が記されているのです。たとえば「Honu」「Turtle」とか。あるときからそれが楽しくて「Aloha」が出るまで飲み続けたりしたこともありました。「Aloha」が出るとうれしいんだけど、反面、どうしてもそのふたを捨てられなくて、それに困ったこともあったなぁ。味も濃くておいしいの。特にロングボードが、私の好みです。

ALOHA
Hello

51 | Breakfast

ハワイ島での朝ごはんは、コーヒーとパンだけだったり、スパムむすびとコーヒーだったり、卵とハムとご飯だったり、パンケーキだったりと、いろいろでした。どれもおいしくて、朝起きると「今日は何を食べようかな～？」っていつも考えてたな。朝起きて、今日はじまる一日が幸せに満ちてる予感でいっぱいのハワイでの朝ごはん。毎日、幸せでした。

スーパーでよく見かけていたマカダミアナッツスプレッドとハワイ島産のゴートチーズを買い込み、部屋で朝ごはんにしたときの模様。フワフワのスイートブレッドはおなじみ「Loves」のもの。パンは「Loves」のものもおいしいけれど（ホットドッグ用のものも好きです）、ハヴィの町の先のほうにあるスーパー、Takata Storeのポテトパンも、もっちりでおいしいです〈**A**〉。

私の定番朝ごはん。ポチギソーセージ（スパムもあり）とスクランブルエッグ（卵ならなんでもいいの）、1スクープのご飯。それに薄めのガブガブ飲めるコーヒー。これはヒルトンの中のブッフェスタイルのカフェで。ポップなプレートやマグの色もかわいかったです〈**A**〉。

ハワイ島の朝は早いです。たいていは仕事でこの大きな島を訪れるため、移動時間を考えると朝早くに起きなければいけないし、たいていこの島での撮影は「自然」系のことなので、早朝のきれいな空気のなかでしなければならず、どうしてもそういうことになってしまいます。そんなわけでこの島での朝食は、僕ら肉体労働者にとって、とても重要です。とはいうものの、座ってゆっくり食事をする余裕はないので、その辺のものを口に突っ込むみたいなことになります。なかでもお気に入りは、空港とコナの町の間にあるガソリンスタンドで売ってる「スパムむすび」です！　ここのスパムむすびはちゃんとタレもほどよくかかっていて、ほんのりみりん系の甘みがあり、しっかりとした味わい。全然、既製品で手作り感なんてないのですが、それでも昔よく食べたオアフ島の「谷口ストア」の味を引き継いだような味で、大好きなのです！

とにかく手軽に、おいしく、がっつり食べられる「朝食」として、僕はいつもこれを愛してます。ハワイ島の恋人です〈**M**〉。

52 | Hilo Lanes

Ⓐヒロの町にボウリング場があるんじゃないかって、この町にたどり着いた瞬間にふと思いました。ノスタルジックな香りのするヒロの町は、懐かしさとともに居心地の良さもくれる、そんなところ。きっとボウリング場があったらぴったり、しっくりくるんじゃないかなぁと。それでマコトに、その話をしたら「そういえば、あるって聞いたことがある……」ということになり、ぐる～っとクルマで町をまわってみました。そしたら、ありましたよ、やっぱり。そのときは夜だったのですが、だだっ広いパーキングはすでに満杯。空きを待つクルマまでいたのには驚きました。ワイキキと違って夜は真っ暗になってしまうハワイ島（特にヒロ）では、どうやらボウリングは大事な娯楽のひとつのよう。

中に入ると、古びたカウンターもロッカーもポップな色味のまま、古き良きスタイルを残して佇んでいました。プレートランチやサイミンが人気の併設されたカフェは、これからプレーする人たちでにぎわっていました。そのほとんどが、地区ごとにそろいのボウリングシャツ（日本でも流行ったときがありましたね～）を着た日系のおじいちゃんやおばあちゃん。皆、楽しそうにコーラを飲みながらシートに腰掛け、他の人のプレーを見守っています。ストライクが出ると立ち上がり、ハイタッチ！　いやぁ、懐かしい光景でした。すっかりやる気になった私たちも翌日、早い時間からオープン待ちして、連続4ゲームほど楽しみました。もちろん、併設されたカフェでごはんもいただきました。それにしても見てください、このレーンの感じ。イカしてると思いませんか？

Ⓜ ゲームはいつも僕が1番でした、はい！　（ウソです）

このレトロなボウリング場は、システムもちゃんとレトロでした。スコアは昔のように鉛筆で自分で書き込み、ボウルはちゃんと戻ってくればラッキーって感じ。さらに1回しか投げてないのにピンを全部機械が倒しちゃったりと、本当におじいちゃんっぽくて、とってもかわいらしいのです。でもそれが本当に自然で、心地良く、無理をしない、なんか優しい気持ちにさせられるところなのです。きっといま都内にこういうボウリング場があったら、再びボウリングブームが起きて中山律子さんみたいなアイドルが生まれるんじゃないかな？と思ってしまったほど。　あ、知ってます？　な、か、や、ま、りつこさんー。

あっ、そうそう、スコアカードの書き方こそ、皆さん、知ってますか？　僕らは全然わからず、いやきっと約1名ちゃんと把握していた人が僕ら3人のなかにもいたみたいですが、少なくとも僕とアカザワさんは、わかりませんでした。そこでボウリング場のカウンターに居たおばさんにいろいろ教えてもらい、またわからなくなると、みんなで考えてスコアをつけました。そしてゲームが終わる頃、スコアカードにちゃんと説明が書かれていたことに気付いたのです。僕らの頭もいつの間にかレトロになってました。あっ、ただのレがない、トロいだった……。

Hilo Lanes
777 kinoole Street, Hilo／808-935-0646／Map6（P231）

53 | PaPa.Kさんのこと

Ⓐ この旅の途中、カメハメハ1世の末裔だという88歳のおじいちゃんに会いに行く機会がありました。おじいちゃんはマコトの友人のハイディの友人で、今回ハワイ島に私たちが行くと行ったら「時間があるようだったら訪ねてみて」ということだったので、会いに行くことにしたのです。おじいちゃんの名前はパパKさん。昔からハワイアンしか住むことのできないといわれているパホアという町に住んでいました。白い平屋の一軒家に大きな犬と一緒に。広い庭には草が茫々に生えていて、開け放っていた窓からはたくさんの蚊が入ってきていました。が、おじいちゃんはまったく気にする様子もなく、にこにこしながら私たちを招き入れてくれました。世界にロミロミマッサージを広めたというアンティマーガレットさんとともに、ロミロミを続けてきたパパKさん。その手は分厚く、深い皺が刻み込まれていました。

しばらくロミロミの話を聞いていたときのこと。パパKさんが急にバスルームを指差し、私に着替えてくるよう言いました。そう、ロミロミをやってくれるというのです。えーっ！　ここで？　と一瞬思いましたが、不思議と嫌な気はしなかったのです。パパKさんのロミロミはいままで私がうけてきたそれとはまったく違うものでした。お祈りをした後はオイルと塩水を使い、ひたすら優しく優しくなでるだけ。ゴリゴリとしたことは一切なし。へぇ～と思っているのもつかの間、気がついたら寝てしまっていました。「終わりましたよ」と、おりえちゃんに声をかけられ目を覚ますと体は驚くほど軽く、目も幾分大きく開いたような感じがしました。このとき私はおなかの中に筋腫があり、帰国後手術をする予定でした。それを知ってかどうか？　パパKさんは「おなかの中のものが減っていたら僕を日本に招待してね」と言ってくしゃくしゃな笑顔とともにウィンク。

帰国後、手術前に再度レントゲンをとったときのこと。先生がひと言「筋腫の数、減ってるわね～！　いくらハワイ好きだからって、こうも効果を出すもんかしらね～」と感心していました。先生にパパKさんの話をしたら、まんざら嘘でもなさそうね、というような顔でにっこりし「手術の手間が少し減ったかな」と、もうひと言。本当に不思議な体験でした。

Ⓜ ロミロミマッサージはその家系に受け継がれていくもの。そのため、さまざまなロミロミマッサージがあると聞きます。このパパKさんの家系に受け継がれてきたマッサージもそのひとつ。彼の行うマッサージと他のスパで受けるマッサージの大きな違いは、マッサージそのもので体の痛んだ箇所を癒すのではなく、スピリチュアルな力で痛んだ箇所を癒すという点。それが彼のロミロミマッサージ。彼がマッサージをする際も、通常の他のロミロミマッサージと同様、まずはお祈りをして自然界にいる神や祖先の皆さんから力を借りることからはじまりました。触れている間、あっ、マッサージしている間、ずーっとぶつぶつお祈りをし続け、ときには患部に息を吹きかけ、手についたなにか（悪いものらしいです）を振り払おうとしたり、しながらそのマッサージは続きました。アカザワさんが施術を受けている間、僕らはずっとその仕草を見ていましたが、それは他とはまったく違うものでした。

それよりなにより、これほどまでに僕らは蚊に刺されたことはありませんでした。

ごめんなさい。このときのことを思い出すと、その不思議な世界感より、あの蚊に刺された苦しみを思い出してしまいます（笑）。そんなかゆさをよそに、アカザワさんは感動しまくっていました。

Oahu

54 | Oahuのファミリーレストラン

Ⓐ 日本ではそんなに行くこともないけれど、ここハワイでは結構行ってしまうのが、ファミリーレストランと呼ばれる類のところ。何が好きで？と聞かれると困るのだけれど、しいていうならば、店の雰囲気ですかね。それぞれのノスタルジックなハワイ感がとても好き。大人ふたり座るには狭いくらいのキュッと小さなボックスシートや、よく見るとモダンな天井ライト、ウェイトレスさんたちの制服（なぜだか若い人が着るために考えられたようなデザインなのにも関わらず、着ているのはたいていおばあちゃんに近いおばちゃんたち。でも、それがかわいかったりするからハワイは不思議）、壁に使われている木などなど。そのどれもが懐かしく、なぜだかホッとなごむ空気をもち合わせているような気がしてならないのです。昔、映画で見た憧れのアメリカ、そんな思いもあるのかも知れません。写真の3店は特にお気に入りのファミレスです。

●Victoria Inn

インテリア的な話でいうと、ここが一番好き。小さなホテルのフロントのような入口もおもしろいし、ボックスシートもいい感じ！　入口を入って右手奥のパーティールームのようなところは使っているところを見たことがないけれど、かなりいい！　味なスペース。レシートの絵柄も見てください、このセンス！　一体、いつの頃からこれを使っていたのかと思うと（ちなみにオープンは35年前だそうです）、このセンスの良さにはホントたまげます。メニューは、ポイ、ロミサーモン、チキンロングライス、ハウピアなどがセットになったハワイアンスペシャルといったものから、スキヤキ定食（$11.50）やシュリンプ天ぷら（$12.75）など意外とジャパニーズテイストのものも充実。そうかと思えば、イタリアンスパゲッティ（$10.75）、ニューヨークカットステーキ（$14.95）なんてものまで。そう言いつつ、なんとなくいつもお茶することが多いので、今度はちゃんと食事をしてみたいと思います！

OMG〜,
that is
too much〜!
I wanna have
Fried Rice,
too...

●Like Like Drive Inn

アラモアナセンターから近いこともあり、かなりの頻度で行ってしまうところ。夕方になるとパーキング入口で光り輝くネオンといい、ファンシーなメニューとそのロゴといい、心惹かれるもので埋め尽くされています。店内は冷房がききすぎていて、かなり寒いので上着を持って行くことをおすすめします。ここも昔ながらの小さな向かい合わせのソファーがメイン。そこにロコがギューギューになって座っている姿がなんとも微笑ましいのです。ところで、本日スモールサイズのフライドライスにサニーサイドアップの卵を1個つけてオーダーしていたおじいちゃんを発見しました。やられた！　と思いました。朝ごはんにフライドライス……と、躊躇している場合ではなかった！　めちゃくちゃおいしそうに食べる姿を見ながらかなり後悔。次は絶対コレをオーダーする～！

●**Bob's Big boy**

日本にも系列店？　のようなものがありますが、まったく違う感じ。おなじみのキャラクターはおりますが……。店の奥の部屋はオールドハワイアンの写真が飾られてあり、ちょっとしたボールルーム的な感じになっています。今日は、サーモンとコーンのバター焼きに1スクープのご飯のプレートをオーダーしました。

Victoria Inn
1120 12th Avenue,Honolulu／808-735-1782／Mon-Sat 6：30-22：00, Sun -21：00／Map10（P237）

Like Like Drive Inn
745 Keeaumoku Street, Honolulu／808-941-2515／24hour／Map10（P236）

Bob's Big boy
2828 Pa'a Street, Honolulu／808-833-3440／Fri-Sat 5：30-翌1：00,
Sun-Thu -24：00／Map9（P234）

55 | 朝のLanikai Beach

Ⓜ 正直に言います。滅多に行ったことはありません、朝のラニカイビーチ。でも、いままでに3回か4回、朝日が昇るころに、ここを訪れたことがあります。まだ、風もあまり吹いてなく、穏やかな空気が辺りいっぱいになっている頃です。海の向こう側がうっすらと明るくなってきて、やがて朝焼けになり、そして静かに太陽が海の向こうから顔を出してきます。そこまでは、わりとハワイの東側なら見ることのできる光景ですが、海から太陽が顔を出しはじめる前後、海鳥が空から爆弾のように海に突っ込んで行くのです。そして、海に突っ込んだかと思うと、くちばしにお魚さんをくわえて、上がってくるのです！　海鳥は、ちょこちょこっというのではなく、大勢で「ダダダダダッ！」と海のあっちこっちで急降下大作戦を炸裂しているのです！　その自然の凄まじさと、それに相反するような辺りに満ちている穏やかな空気が、変なバランスで僕の五感を刺激するのです。そんな変な朝のラニカイビーチがいっぺんで好きになりました。特に意味はありませんが……。

写真は一生懸命、僕らなりに早く起きて、朝のラニカイビーチに行ったときにおりえちゃんが撮ってくれたものです。この雰囲気は、その変なラニカイビーチではなく、優しい姿のときのビーチの姿です。

うん、やっぱりこの写真、何回見ても素敵です。優しいビーチの雰囲気が、そのまま伝わってくるようです。良かったです、この写真にして。変なラニカイビーチは「天国の海」という名をもつ、このビーチには似合いませんから！

Map7（P233）

56 | Royal Hawaiian HotelとMaitai Bar

Ⓐ ワイキキのシンボルのひとつともいうべきピンクのホテル「ロイヤルハワイアンホテル」。ワイキキビーチの海のブルーと白い砂浜に、このピンクがあってもなぜだかしっくりくるから不思議なもんです。ワイキキビーチでくつろぐ人のにぎやかな笑い声と波の音、カタマランヨットの出発を知らせるほら貝の音、ぎっしり人で埋め尽くされたビーチと海の青。それにダイヤモンドヘッドとこのピンクのホテル、そんなあれこれすべてが「ザ・ハワイ」という絵柄からは切っても切れないもののような気がしています。飽きることのないこの風景は、ずっと変わらないでいてほしいもののひとつでもあります。実際、ハワイを訪れると、いつだってまずはこの風景を見たくなるんですから、よっぽど自分のなかに刻み込まれているものなんだと思います。

そんな愛すべきホテルが2008年の夏から改装のため休館すると聞き、焦ってひとおりいまの姿を目に焼きつけておこうと、出かけました。コートオブアームが刻まれた特別室のドアや歴史を物語る古い写真やエントランスの重厚でいながらにして、あっけらかんとした南の島らしいムードなどなど、変わってしまうのだろうか？と心持ち不安に思っていました。2009年、新しく生まれ変わったホテルですが……。ジャ～ン！　残っていました～！　特別室のドアも外観のピンクも！　そしてエントランスの風情も。余計なお世話ながらホッと胸をなでおろした私です。古き良き時代を刻んできたホテルは老朽化はしていく部分もあるけれど、新しいものでは表すことのできない、時間が流れていると思います。ちゃんとそれを残してくれたことに勝手に感謝！　さすがです！

というわけで余計な心配をよそに、何事もなかったかのようにホテルはそこに在り続けていました。よかった、よかった。

夕暮れ時、マイタイバーでピンク色に染まったワイキキビーチを眺めるのが好きです。そんなときはダイヤモンドヘッドもほんのりピンク色。それをピンクのファサードで囲まれた半分、外のような場所のバーで、ぼんやり眺める時間はきっとこの島でしか味わえない、幸せな時間なのだと思います。マイタイをオーダーしたいところですが、これが結構強いのでお酒に弱い人はもうちょっとジュースに近いカクテルをオーダーすることをおすすめします。私はプリンセスカイウラニパンチをオーダーすることが多いかな。ちょっとだけ笑えるのはなぜだか孫の手がマドラー代わりに入っていること。カクテルによって違いますが、これがくるといつもなんでかしら～？と思いつつ、このずっこける組み合わせになごんでいます。

Royal Hawaiian Hotel
2259 Kalakaua Avenue, Honolulu／808 - 923 - 7311／www.royal-hawaiian.com／Map10（P236）

The Royal Hawaiian
The Hotel on Waikiki Beac

57 | Umeke Marketのデリ

Ⓜ 何度も書いているかもしれませんが、僕は似非ナチュラリストです。というよりジャンクフードが大好きな男です。でも、ときどき気取ってヘルシー気分を味わいたくなります。そんなとき食べるのが、このウメケマーケットのデリなのです。

たとえば、サーフィンで体を動かして、なんか自分が健康的になってるなと思ったりすると、帰りに寄っておいしそうな野菜をたくさん使ったデリを頬張ります。ここはダウントゥアースと違って、お肉も使っています（ダウントゥアースは本格ベジタリアン用のデリです）。なのでヘルシーといえども、しっかりお肉のものをオーダーします。バッファローバーガーとか、ダチョウバーガーとか。それでも僕にとってはいつも食べているものより、とってもヘルシーに感じるのです。味もしっかりしていて、ヘルシー料理独特の薄味過ぎではない程度の薄味で、何を食べても普段とあまり変わらないような感覚で食べられるところも素敵なんです。何よりもヘルシーを基本にしている人たちに囲まれて、食事をしている自分になんか優越感を覚えながら、食事ができるだなんて、それほどうれ

しいことはありません。

なんて書いていたら、いままさにウメケのポートベローマッシュルームサンドイッチとそのお皿に添えてあるカリカリに揚げたポテトチップスを一緒に食べたくなって、本当にお腹が鳴りました。

やっぱり、ただの食いしん坊です。

Umeke Market Natural Food&Deli
4400 Kalanianaole Highway, Honolulu／
808-739-2990／Mon-Sat 7：00-20：00,
Sun 8：00-／Map10（P237）

58 | Kaimukiのスコーン屋さん

Ⓐ ほんの少しだけ昔の話。まだメイシーズがリバティハウスだった頃のこと。その中に、このスコーン屋さんはあったのだそうです。それがメイシーズにかわるとき、スコーン屋さんもともになくなることになり、カイムキの地に引っ越してきたのだとか。

素朴な味わいのスコーンはどれを食べても、いつ食べても変わることなく、小麦粉のおいしさとバターのコクがしっかり合わさった味わいがします。朝、ここを通るときにはちょっとクルマを停めて、いくつか買ってコーヒーとともにバクバク頬張ります。不思議なのは特別温めたりしなくても、クリームを添えたりしなくても、充分過ぎるくらいおいしいってこと。この豊かな味わいはやっぱり手作りならでは、なのかな。と、食べるたびにいつも思います。

＊オートミール入りのレーズンや
　ブルーベリーが入ったものが大好きです。
　体にもなんとなくいい気がするし……。

Sconees Bakery
1117 12th Avenue, Honolulu／808-734-4024／
Mon-Sat 6：00-16：00, Sun 7：30-15：00／
Map10（P237）

59 | マイナーなサーフショップ

Ⓜ ハワイのサーファーの人たちは、恐らくほとんどの人が定価でボードを買うことはないと思います。僕もそのひとりですが、通常はみんな知り合いを頼って知り合いのシェイパーに特別料金でボードをつくってもらっているようです。僕の場合、オーダーメードは時間がかかって待っている間に浮気したくなっちゃうので、既製品のサーフボードを安く買うのが昔から当たり前になっています。とはいっても、中古のボードだと不思議なのですが、どうも前にそのサーフボードに乗っていた人のクセがあるように感じてしまい、どうしても自分のものにならない気がしてしまいます……。なので、いかに安く「新品」のボードを買うかが、ボードを買うときの最大のテーマになります。

ここで紹介するサーフショップはあまりガイドブックなどでも紹介されてないからか、ほとんど知られていないのですが、日本からいらっしゃるサーファーのみなさんがもっともっと楽しくハワイでサーフィンができるようにと思い、紹介させていただきました。ここはCAMPBELLというオアフ島西部の工場地帯にあります。一見わかりにくいのですが、看板をちょこちょこ気にして運転していれば、みつけられると思います。ここはサーフボードのラミネート工場で、その横でボードの販売もしているのです。ときには売れ残ったようなボードもあります。またときには地元のシェイパーに申し訳なさそうに、中国産のボードがたくさんあったりもします。でも、もちろん掘り出し物もたくさんあります。ショートボードも、ロングボードも!

今回、取材で訪れたときも僕はついついボードを買ってしまいました。本当に本当に地元のシェイパーの方々に申し訳ないのですが、メイドインチャイナのエポキシの6 '3 "のHICのボードを買ってしまったのです。いま、そのボードをメインに波乗りをしています。

本当にごめんなさい、そのボード、調子いいんです……。

Surfboard Factory Outlet Hawaii
91-270 Hanua Street,Suite 1 Kapolei／808-543-2145／Mon-Fri 9：00-18：00, Sat 10：00-17：00, Sun Closed／Map7（P232）

60 | Boots&Kimo'sのマカダミアナッツパンケーキ

Ⓐ ガイドブックでこのパンケーキを見たとき「うわっ！　すごい味が濃そう」とだけ思った記憶があります。見てください、この見た目。パンケーキがほぼ見えないくらいトロ〜ッと全面にかけられているのが、この店の名物メニュー、マカダミアナッツソースがかかったパンケーキ。バターを溶かしたようなソースがお皿からあふれんばかりにかかったパンケーキを見て、どれだけしつこい味がするんだろう？　と思ったのです。ところが見ると食べるとじゃ、大違い！ 実際は、予想外のさっぱり味。マカダミアナッツのコクはあるのに、口に入れたときのさらりとした感じといい、後味といい、なんとも絶妙なバランス！　パンケーキのふんわり、もっちりともちょうどいい絡まり具合なんです。食べてみないとわからないもんだわ、としみじみ思った経験でした。それからというもの、早い時間にカイルアに着くと（お昼くらいまでしかやっていないんです）、つい食べに行きたくなるもののひとつとなりました。パンケーキは中にバナナを混ぜ込んだものをオーダーしています。これがまたソースとかなりマッチしておいしいんです。このソースですが、お店を創業したおじいちゃんの友人が作った秘伝のもの。家族でさえも教えてもらえないものなんだそうです。

＊パンケーキ以外の話。
オノリシャスと記されたメニューのなかでも、
かなりオノリシャスなメニューが、
オムレツとフライドライスが合体したようなもの
（名前を忘れました）。
オムレツにくるんと包まったフライドライスには
チェダーチーズが程よく加えてあり、
とろーんとした食感と香ばしいライス、
それにフワフワ卵が一体となって口の中で
幸せを奏でます！　かなりオノリシャスですよ〜。
ちなみにオノリシャスとは
ハワイ語の「オノ」と英語の「デリシャス」を
合わせたここの店で使われていた造語。
とーってもおいしいってことだと思います！

Ⓜ 昔からこのお店は知っていました。だけど、最近になってよく行くようになりました。というのも、かなりの人気店らしく、いつも道に人があふれるほど並んでいてなかなか入りづらいので、ちょっぴり避けていたところがあったんだと思います。

でも、最近、日本からのスタッフや友人たちが、みんなこぞってこのお店に行きたがるようになり、僕も渋々ついて行くようになりました。実際に有名なそのパンケーキを食べてみると、確かにフワフワしていて、見た目はこってり甘そうなのに意外にもさっぱり甘さ控えめで、飽きがこない感じ。そうなるともちろん、食いしん坊の僕も好きにならないわけがありません。最近はお店の前にローカルの人たちがあふれていようと、取材で時間がなかろうと、カイルアの町に行ったときには、許される限り足を運ぶお店になっています。いま、僕のなかでカイルアナンバー1になっているお店です。ブーツさんとキモさん、おいしいソースを発明してくれてありがとうございました！

＊2009年中にはごく近くにですが、
お引っ越しをするそうです。

Boots&Kimo's
131 Hekili Street, Suite102 Kailua／
808-263-7929／Tue-Fri 7：00-14：00,
Sat-Sun 6：30-, Mon Closed／
Map8（P233）

Too much
Source !
Can't see
pancakes !

61 | Hilton Hawaiian Village Beach Resort & Spa

Ⓐ 私のハワイのはじまりは、このホテルからでした。もうずいぶん昔のことですが、はじめてハワイを訪れたときにも、この本をつくるきっかけとなったマコトとのはじめての仕事のときにも、このホテルが宿泊先でした。だから、私のファーストインプレッションはなんとなく、ここからはじまっているといっても過言ではありません。

ワイキキビーチの喧騒からちょうど良い距離であることも、ヒルトンの良さ。カラカウア通りで買い物した後、ブラブラ歩いて帰るにも、アラモアナに行くにも、大好きなワイラナコーヒーショップに行くにも、とにかくちょうど良い場所にあるのです。しかも、ビレッジと名乗るだけのことはあり、ヒルトンの敷地内でほぼすべてのことが賄えるのも、ここのすごさです。ホテルから1歩も出ない贅沢なバケーション、なんてフレーズをよく耳にしますが、ここでならそれも本当にアリかも、と思える感じなのです。敷地内にはいくつかの棟が建っていますが、私が一番好きなのは、海最前列のレインボータワー。ビーチからもよく見える、あのレインボーの壁がその棟です。ちなみにあのレインボー、よく壁画と間違えられるそうですが、実は1万6,000枚のタイルを使って描かれたもの。あのレインボーのためだけに焼かれたタイル（使った枚数は1万6,000枚ですが、色を合わせたりするために結局のところ全部で10万枚が焼かれたのだそう）で、という凝ったつくりなのです。で、本題の部屋なのですが、これが本当にすばらしい！　これぞハワイな風景が完璧なまでに望める部屋なのです。コーナー2面窓になった部屋から

∧これがエグゼクティブコーナーキングです。
見てください、この優雅なつくり。
2面に窓があって、その2面ともから
海が見えるだなんて、ありえます？
ホント、夢の世界です。
ずーっと部屋でごろ～んとしていてもいいかな、
なんて思ってしまうほど。
＞これが部屋から左を見た図。どうですか？
すごいでしょう。ダイヤモンドヘッドと
ワイキキビーチがここまで美しく、
絵のように見える景色はそうそうありません！
しかも、部屋からですよ。ん～、すばらしい！

見えるのは海、海、海！　そしてダイヤモンドヘッド！　低反発の心地よいベッドにごろ～んとなったら、まるで海の上にフローしているかのよう。それくらい、最前列なのです。贅沢なまでに広くとったラナイに出ると、右手にヒルトンのラグーンが、左手にはワイキキビーチが広がるといった眺め。これ以上はない！　と、いつもため息が出てしまうほど。見てください、コレです！

ヒルトンの楽しさは部屋だけではありません。中のショップも単にブランド物だけではないのです。ウクレレやハワイアンミュージックがゆっくり選べるお店やハワイに関する書籍、地図などが充実しているブックショップ、海を見ながら朝ごはんがいただけるカフェテリアなどなど、とにかく怒涛のすごさなのです。

もしも滞在中に金曜日があったら、ぜひ部屋のラナイからゆっくりとサンセットを楽しみつつ、名物のブルーハワイをグビッと……（知ってました？　実はブルーハワイってヒルトンが発祥なんですって。あのエルビス・プレスリーが映画『ブルーハワイ』の撮影で滞在していたときに「この海に似合うものを」と、オーダーしたのがはじまり、なんだとか）、なんていかがでしょう？　そのうちドーン！と花火が打ち上がり、いやはやもうこれ以上ないでしょう！　というメロメロな気分になれること間違いなしです。

と、とにかく楽しいことだらけのヒルトン。大きいだけじゃないんです。ここにはめくるめく楽しい時間とアロハな気分が満ちあふれています。

∧さらに、ラナイからすぐ下を見てみました。
海のブルーと砂浜の白のコントラストがくっきりと美しく広がっています。

What a wonderful view〜!

∧右のブルーはラグーン。左は海です。

∧ある日のヒルトンでのごはんの一部を
チラリとお見せしちゃいます。
ひとつひとつ、ていねいに手をかけて
作られているのはもちろん、「おー!!」と思うような
繊細な味に出くわすこともしばしば。
そのおいしさの秘密は、日本人シェフによる
きめ細やかな味つけにもあるのだとか。
う～ん、うまいです！

Ⓜ いきなりですが、これほど敷地内が充実しているホテルは他にないと思います。とにかくすべてが揃っていて、子どもも大人も充分に楽しめるようにちゃんと考えられてるのです。これぞまさにリゾートホテル！　なんだろうと思います。

以前、あるおばあさんは、このホテル内がワイキキだと思っていたそうです。この話が本当かどうかわかりませんが、そのぐらいここは広く、そして楽しく過ごせるように設計されているんだと思いました。あ、そのおばあさんって、僕のおばあちゃんだったかな……？

僕はこのヒルトンに昔から仕事でもプライベートでもお世話になってます。かつて僕の父が一度だけ、ハワイに来たことがあります。そのとき宿泊したのが、このヒルトンでした。いまでもなぜだかわからないのですが、そのとき父はレインボータワーの最上階に泊まることができたのです。すばらしい景観でした。その一度きりのハワイ旅行の思い出を、父に素敵な思い出として倍増させてくれたのがこのホテルだったことはいうまでもありません。

気持ち良く、楽しいホテルライフ、プラスちゃんといい思い出をつくる演出もしているヒルトンに感謝です。

Hilton Hawaiian Village Beach Resort & Spa
2005 Kalia Road, Honolulu／808 - 949 - 4321／www.hiltonhawaiianvillage.jp/／Map10（P236）

Anthony

62 ボディーローション

Ⓜ サーフィンをやってることもあってか、僕は昔から乾燥肌です。それでも若いときは肌が汗ばみ、時間が経てばなんとなくしっとりしてきていたのですが、最近はもうすっかり乾ききったままで……。このままでは皺ばかりが増えていっちゃうような感じになってきていました。ということで、最近ローションをぬるようになりました。最初はその辺に売ってる安いローションをぬったりしていたのですが、ときに肌と相性が悪かったり、ぬった後、なんか女の子のようなにおいになっちゃったり、ミルクを飲んでるような赤ちゃんのにおいになっちゃったりしていました。そうこうしているうちに知り合いのメイクさんに相談して、もっといいローションを選ぶようになり、気づいたら家にさまざまなローションが並ぶようになってしまいました。

いま、僕のローション選びのテーマはその効能が一番ですが、それ以上に重要なのが香りなんです。特に最近気に入ってるものは普段の生活には「JACK BLACK」というブランドのクールモイスチャーボディローションというもので、これは香りが微香性でしっとり感もしっかり持続できるタイプ。気分を変えたいときは、「ANTHONY」というブランドのボディローションを使っています。これはほんのりレモンの香りみたいな柑橘系のにおいがするので、好きなんです。でも、なんといっても一番のお気に入りは、なぜか「VICTORIA SECRET」から出ている、その名も「VERY SEXY FOR MEN」です。これは基本的にアフターシェービングローションですが、そんなのいいんです。体にもぬっちゃいます。というのも、なんかこのローション、香りがセクシーなのです。だから外出するときにいわゆる勝負下着を身につける女性のような気持ちで、使うことがよくあります。ビクトリアシークレットは女性のローションも安くていい香りのものをたくさん出しているのですが、男性ものも負けず劣らずいいものがあるんです。ビクトリアシークレットが出しているものだからこそ、女性が好きな香りだと信じて、今日もVERY SEXY FOR MENとともに夜の街へと出かけて行くのです。

63 | Agnes's Portuguese Bake Shopのスイートブレッド

Ⓐ カイルアの町の素朴なパン屋さん、アグネスポルチュギーズベイクショップ。その名のとおり、ポルトガル系の人が切り盛りしているお店らしく、マラサダはここが一番おいしい！　という噂も……。

でも、私が好きなのはスイートブレッド。卵とオイルを一切使用していないナチュラルな手作りパンは、バウンドしそうなほどふんわり、それでいて食べるともっちり、しっかり生地が詰まっている感じがするもの。バターをぬらなくても焼かなくても、そのままガブリと1斤かぶりついても、おいしいのです。

わざわざカイルアまで！　と思った人、カイルアまで行かなくても、ダウントゥアースやウメケマーケット、コクアマーケットなどナチュラル系のスーパーでも手に入ります！　ただし、時間によっては売り切れている場合も多々あるので、ぜひ早めに行って、みつけたら買う！　って感じでお願いします。

Agnes's Portuguese Bake Shop
46 Ho'olai Street, Kailua／808-262-5367／
Tue-Sat 6：00-18：00, Sun-14：00,
Mon Closed／Map8（P233）

SWEET BREAD
ROLLS

HAWAIIANA
DISCOVERY THE HAWAIIAN ODYSSEY
MOLOKA'I: AN ISLAND IN TIME
THE ISLANDS OF LIFE
EVERY GRAIN OF RICE
FLAMING SWORD OF SAMOA
HISTORICAL DICTIONARY OF OCEANIA
WAIKIKI
THE HAWAIIAN KINGDOM
WYLAND
BREEDING ANTHURIUMS IN HAWAII
ETHNIC CULINARY HERBS
HAWAIIAN HERITAGE
ARTS AND CRAFTS OF HAWAII

64 | Jelly's Aiea

Ⓐ パールリッジショッピングセンターの少し先、ワイマルショッピングセンターの向かい側の倉庫街のようなところにある、巨大な古本とCD&レコードショップ。体育館のような広さと高い天井の店内は、2/3が古本とゲーム関係のもの、残り1/3のうちほ〜んの少しがレコード。そしてあとはCDといった品揃えになっています。うちのダンナが大好きで大好きでたまらないお店です。

ダンナはレコードを、私はハワイアナのコーナーであれこれお互いに物色すること数時間。だだっ広い店内をウロウロしながらそれぞれの時間を過ごしていると、ときどき、おっと！　なんて棚と棚の間で出会ったりして、なんだかおもしろいです。そんな楽しい時間を過ごした後、それぞれの戦利品を手に、向かいにあるワイマルショッピングセンター内のカピオラニコーヒーショップで腹ごしらえ。そしてまたワイキキに向かうというのがいつものパターン。けれども、年々、古いものは少なくなってきていますね。レコードが特にそう。うちのダンナはいつもここに行くたびに、コーナーが激減していることを悲しんでいます（笑）。

Jelly's Aiea
Harbor Center Shopping Plaza 98-023 Hekaha Street,SuiteB1-9,Aiea／
808-484-4413／Mon-Sat 10：00-20：00,
Sun -18：00／Map7（P232）

65 | Hungry Lionのタコライス

Ⓜ 最近までタコライスなるものに興味はありませんでした。もちろん沖縄発祥だということくらいは知っていましたが、それを食べるならハワイのチリライスを食べるほうが僕にとっては普通だったからです。ところが数年前ちょっとした打ち合わせのとき、このカリヒ地区にある「ハングリーライオン」に寄ったときのこと。いままでは30cmぐらいある長〜いホットドッグを注文していたのですが、それがメニューからなくなっていたのです。そこで代わりのものをと探していたときに、写真付きのタコライスが目に入ってきた、というわけです。さっそくオーダーした僕の目の前に出てきたものは、なんとラーメン丼に盛られた巨大なものでした。そう、どこかの「スモウロコ」を思い出させるような……。でも、見た目はカラフルで、おいしそう。さっそく食べてみると、うまいじゃないですか！　メキシカンとジャパニーズがうまいことミックスされていて、ラーメンの丼の中でさらにごちゃ混ぜにすればするほど、新たな味に生まれ変わり、そこに醤油やタバスコで自分なりのスパイスを入れてくと、またさらに新しい食べ物に生まれ変わっていきました。単純な組み合わせだからこそ、自分なりの味や食べやすさがあるんでしょうか。いまはハングリーライオンに行くと、お腹が空いているときは必ずこのタコライスを食べます。問題は量が半端じゃないので、お腹が空いているときじゃないと注文できないということくらいです。

Hungry Lion
1613 Nuuanu Avenue, Honolulu／808-536-1188／Sun-Thu 6：00-23：00, Fri-Sat 24hour／Map9（P235）

66 | Bubbiesのモチアイス

Ⓜ 年々、種類が増えているような気がします。

僕にとってアイスはそんなしょっちゅう食べるものではありません。せいぜい手みやげやお見舞いに持っていくくらい。以前にも友人のお見舞いにこのアイスを買って行ったことがありました。友人は幸せそうに僕の買ってきたアイスを頬張ってくれました。その笑顔が忘れられなくて、いまでもこのアイスを見るとその友人のことを思い出すほど。

いまさらあらためて紹介するほどのアイスではないと思うのですが、友人のためにも紹介したいなと思います。そのときも写真のようなバケツ型のタッパーに12個ほどいろんな種類のものをミックスして入れてもらい、特別にミント味で、モチの皮がチョコレート味のものを多めに入れてもらいました。友人はその味が特別好きだったので「きっとこれをまず最初に食べるんだろうな?」なんてことを思いながら、いそいそと友人の家にポンコツ車の下半分が緑の上半分が薄汚れた薄いクリーム色のツートンで、後ろのサスペンションがへたっているのか、ちょっと車の前のほうが上向きになってしまってた1978年型のフォルクスワーゲンのバンを走らせて行きました。友人はベッドに横たわったまま起き上がるのもままならず、なんとか自分の体勢を整えてから、僕のほうに小さな笑みを浮かべてくれました。少しでも体勢が良くなるよう友人の背中にそっと手をやり、タオルをいれながら「どう?　調子は?」と自分なりの目一杯の明るさで話しかけました。友人はしゃべることも辛そうに「うん」とだけ言って、すぐその後、ちょっぴり苦しそうな声を出し「大丈夫だと思うよ」と無理がはっきりわかるような返事をくれました。そしてようやく落ち着いたところで、モチアイスを手渡しました。そのとき友人は、僕がいまでも忘れられないほどの笑顔を見せてくれたんです。それから予想通りミント味のモチアイスを最初に手にし、うれしそうに食べてくれたのです。中のひんやりしてさっぱりしたミント味のアイスクリームが、甘いチョコレートフレイバーのモチから顔をのぞかせるたびに、何度もその笑顔を見ることができました。

そのときからもう15年以上は経っています……。と、しんみり書いてみましたが、その友人というのは僕のガールフレンドだった人のことなのです。そのときは単純に風邪にかかってただけ。なので、もちろんいまでも全然元気にしています!　へへ。

Bubbies
1010 University Avenue,Honolulu／808-949-8984／Mon-Thu 12：00-24：00, Fri-Sat -翌1：00, Sun -23：30／Map10（P236）

Ready,
one,
two,
three !

Ⓜ 子どもの成長は早いです。どんどん大きくなっちゃいます。ちょっと見ないうちに、あれよあれよという間です。

いつも日本に帰るときは、ここで娘の洋服を選んでそれをおみやげにしていました。自分でもそれが楽しみで、なんか「俺、父親じゃん」みたいな気分にさせてくれるのです（あ、いや、もちろんちゃんと父親ですが）。正直、他のどのお店より時間をかけて、店内をじっくりまわります。ときには一度は手にしたかわいらしい洋服も、いろいろ考えてやめてみたりもします。まさにおばさん状態です。娘の好きな色があると、そのトップスにはどんなボトムを合わせて着させたら、娘が求めてるような「かっこカワイイ系」の感じになるかな？　とかいろいろと思いを巡らせてもいるのです。

日本に帰ってそれを楽しみにしてくれている娘が、バッグの中から次から次へと、出てくる洋服を見て、喜んでくれている姿を目にするときが僕の至福のときです。あれ？　お店の話じゃなくて、娘の話になっちゃった。

Ⓐ ある日気づいたときにはアラモアナセンターに巨大なスペースを有していた「オールドネイビー」。ギャップのセカンドラインということで、ビックリするほど安いのがとにかく魅力。しかも、シンプルなデザインは意外となんにでも合うので「いまだけだし」なんて思ってハワイでの冷房対策用に買ったパーカーを、案外日本でもちゃっかり着まわしちゃったりしてるなんてことが、かなりあります。子どもがいる友人へのおみやげにもかわいくて安いから、ここでまとめ買い。甥や姪にも! と、なんだかんだで毎回すごい量に。それでもえっ!? と聞き返したくなるくらい安い! 出発前に、日本からあれこれシミュレーションしてたくさんの荷物を持っていくことがなくなったのも、ここのおかげ。感謝しています。

Old Navy
1450 Alamoana Blvd., #1011 Honolulu/808-951-9938/Mon-Sat 9:30-21:00,Sun 10:00-19:00/Map10(P236)

68 | ホットドッグ

Ⓜ みんながパンケーキなら僕はホットドッグです！　僕はホットドッグが大好きです！

きっとハンバーガーよりホットドッグのほうが好きです。スパムむすび……、と同じくらい好きです。特にCOSTCO(コストコ)のホットドッグは僕のなかでは、ナンバー1です！　僕はホットドッグをおかずに、スパムむすびを食べるぐらいホットドッグが好きです。スパムむすびも……。手軽さもうれしいのですが、2本以上食べれちゃうサイズ感と満足感もうれしいのです。

ソーセージのあのパリッという歯ごたえがたまりません。特にポリッシュソーセージのホットドッグが好きです。パリッのあとのジューシー感がたまりません。ほんのり香るスモーキーなにおいもたまりません。あとは玉ねぎを刻んだものをちょっぴり入れてケチャップは少なめというのが好きです。マスタードはケチャップよりさらに少なめくらいがいいです、ソーセージの味を楽しみたいから。ソーセージの大きさは問いませんが、大きいほうが好きです。はい、すいません、問うてます。そう、小さいホットドッグではなく、大きいホットドッグが特に好きです。でも、大きすぎるからといってナイフとフォークを使ってホットドッグは食べたくありません。あ、それでも食べちゃうぐらい好きですが……。ホットドッグを食べた後は、なぜか手をパンパンとはたきます。

僕はホットドッグが大好きです。

有名な野球選手でもそんな人がいました。彼は僕より好きみたいでした。

Julius
Hot Dog

写真右上銀紙の包み紙のものから時計回りに。
Food Mart ドリンクとセットで$2.08／Map10（P237）
Tesoro $0.93／Map10（P237）
Seven Eleven $1.29／Map10（P236）
W&M $2.90／Map10（P237）
Costco $1.50／Map9（P234）
Haute Dogs $4.75／Map9（P235）
Orange Juce $3.29／Map10（P236）
Ewa Concession $3.25／Map10（P236）

69 | Hawaiiの野菜

Ⓐ ハワイの野菜はおいしい。葉ものは、葉っぱ1枚1枚が肉厚で青い味が濃い気がします。かみしめるとじんわり甘みが出てきます。トマトは濃い赤で、はちきれんばかりに太っているし、玉ねぎは生で食べても甘くてジューシーです。ファーマーズマーケットで野菜を買ったら、さっと水で洗って、そのままあるいはオリーブ油と塩だけでサラダにしたり、少ない水で蒸し煮にします。それだけで、うんとおいしくて、甘くて、驚きます。よく考えてみれば、これだけ太陽が一年中がんばってるところで育つ野菜だもの、おいしくないわけがないですよね。それにここ数年は、以前にも増して無農薬、有機のものが見直されると同時に、ハワイ産ということにもずいぶん力が注がれているのだとか。自炊まではいかなくても、レストランに入ったらいつもより野菜をじっくり味わってみてください。そのおいしさにきっとビックリすると思います。

Ⓜ アメリカ本土から入ってくる野菜は、どうしてもムダな農薬や化学薬品やらをふんだんに野菜や果物にかけなければいけないそうなんです。ちゃんとハワイでも野菜が採れるのに、安いからといってアメリカ本土や他の国からわざわざ取り寄せて販売するのもどうかな？ということで最近は、多少、高値でも体にいい、またハワイの経済にも貢献できるということで、地元食材に目が向けられるようになったそうです。

ナロファームのオーナーが言ってました。地元の経済を活性化することで景気も良くなり、それにもまして健康に良いなんて好循環の典型だって。資本主義はどうしても利益追求型の経済システムを生むので、全体的に僕らにも自然にも悪循環なかたちで悪い影響を及ぼしてきました。きっといま、それを違うかたちに変える時期なんだと思いつつ、むしゃむしゃと地元野菜を食べ続けています。

たまにはまじめな気持ちを書かせていただきました。

70 | Muumuu Heaven

Ⓐ 古いアロハシャツをスカートに仕立て直したいなと、ずっと思っていました。なので、もうずいぶんと前から大きなサイズのアロハシャツばかり買い集めています。ヴィンテージとかは関係なくて、自分の好きな柄のものだけを何枚も。それでも同じ絵柄のものはたった2枚しかなく、どれも1枚、1枚違うもの。どうしてそれをスカートにしたいと思ったかというと、アロハシャツでは自分の身にまとうことができないから。なんとなく自分が着るとしたらシャツではないなと思って。でも、こんなにかわいい絵柄。どうにかして自分でも着てみたい。そう考えていたら、スカートならば！　と思いついたのです。

そうしたら数年前。同じようなことを考え、メインランドからハワイに移り住んできた人たちがいると聞き、ぜひ、会ってみたいなぁと思っていたのです。そんなことをつらつらと思っているうちに、少し前までは予約しないと入れなかったお店が、1～2年前にはとうとう通常オープンのお店をカイルアにオープンしたとのこと。なんともすばらしい速さ！　うれしくなってさっそく出かけてみたのです。

1980年代以前のムームーやアロハシャツをリメイクしたスカートやワンピース、キャミソール、オーバーブラウスなどがずらり並ぶ店内は、まるで色の洪水。押し寄せてくるまばゆい色合いに、倒れそうになるほど興奮してしまいました。

生まれ変わったアロハシャツやムームーは、その柄の良さは残しつつ、デザインだけがスタイリッシュに変身！　そのどれもが「はーっ」とため息をつきたくなるほど、ポップでかわいくて……。私がもうちょっと痩せていれば！　と思うものがたっくさんありました（全体的に、いいなぁと思うものはタイトな感じでした）。古いものが大好きというオーナー夫妻。洋服だけでなく、お店のライトや装飾品なども自身の手でリメイクしたものがいろいろ。物に対する考え方も、でき上がったものも、見習いたいなぁと思うことがいっぱいでした。

＊スカートで$90くらいから。オーバーブラウスは$120くらいからが中心でした。

Muumuu Heaven
767 Kailua Road #100,Kailua／808-263-3366／Mon-Sat 10：00-18：00,
Sun 11：00-16：00（2nd Sun -17：00）／Map8（P233）

71 | Keiki Beach Bungalows

Ⓜ この場所で撮影をするようになって、もう何年経つんだろう。最初はロケーションとして撮影をしていたのですが、最近は取材対象のひとつとしても撮影するようになりました。それだけ確かに魅力的な場所だと思うんです。以前はいまほどきれいではありませんでした。ただ、それはそれで味があり、グラビアの撮影等では最適なロケーションだったのです。それがいまのマネージャーになってから、部屋のひとつひとつも庭も、そのほかの施設もみんな整理されてきれいになったのです。味気ないといえば、味気ないのですが、でも宿泊するにはやはりその部屋や施設の小ぎれいさが重要になってきますもんね。

実際に泊まってみたら、いつも波の音が聞こえてくるし、なんかハワイじゃない、もっと片田舎の南国の島で、本当にゆっくりしているような気分になりました。日差しがまぶしくてうっすら開けたまぶたから、青くてところどころ白い雲が流れる空とディープブルーで穏やかな海を見てると「あ〜、もうなんにもしないでこうやってハンモックに横たわって、ゆ〜らゆら一生、揺れてたいな〜」と、思ってしまったほどです。

目の前のケイキビーチは、ビーチ自体が広く、冬はビーチ沿いをちょっと歩けば「ログキャビン」というお気に入りのサーフスポットがあるし、夏場は海がとっても穏やかなので、のんびりビーチで遊ぶことができるのです。メインストリートからも隠れているので人もまばらだし、夜は夜で満天の星空を見ることもできます。正直、これだけの条件を満たしている、ハワイの宿泊施設的なところは、ちょっぴり高いバケーションレンタル以外ではあり得ないと思うんです。僕にとっても、きっと皆さんにとっても、夢で描いてるいわゆる理想的なハワイの宿泊施設だと思います。

絶対おすすめですが、絶対に友達やカップル、ご夫婦で泊まってくださいね。あまりに静かだから、夜、なんか寂しくなっちゃうと思いますから。

Keiki Beach Bungalows
59-579 Keiki Road,Sunset Beach／808-638-8229／www.keikibeach.com／Map7（P232）

72 | Yuchun Korean Restaurantの冷麺

Ⓜ 葛の冷麺です。さっぱりと食事を済ませたいとき、あまりにも暑くてなんか微妙に熱中症？　みたいなときなどに、この冷麺を食べると超元気が出ます。2種類あって、そのうちのひとつが普通の葛冷麺、もうひとつは韓国の辛味噌が入ってるビビン冷麺です。両方ともスープはシャリシャリ感が残っている程度に凍っていて、麺は葛でできているため黒色です。ビビン冷麺のほうはスープが別になっていて、自分で適量を麺が入ってる器に加えて辛さを調節します。とはいっても、全然辛くないのですが……。僕は、たいていビビン冷麺を注文します。まずはスープを半分ぐらい入れて、それから酢をたっぷり入れて、辛子をちょこっと入れて、食します。これがめちゃめちゃうまいんです。冷えた麺とスープが、火照った体を内側から冷やし、さらに酸味と微妙な辛みが僕の体を元気にしてくれるのです。

実は昔々、雑誌の取材で「冷麺食べ比べ」というテーマで、あっちこっちの冷麺を1日に7軒ハシゴしたことがあるんです。そのとき最後のほうは、正直、冷麺がただのゴム麺に感じて、調子が悪くなってしまったことがありました。それ以来、しばらく冷麺が食べられませんでした。でも、この冷麺に出合ってから、再び食べられるようになり、いまでは冷麺が大好きになってしまいました。ただ、基本的にここの冷麺以外はいまでもやっぱりちょっと抵抗があるんです。僕にとってそれだけここの冷麺はおいしいものなんです。

ちなみにこのユッチャン、場所はいささか怪しげなところにあります。きっと知ってる人も多いと思うのですが、まわりはキャバレーのようなところだったり、怪しげな洋服屋さんだったり、女性が衣を忘れて踊ってたりするような一角にあるんです。それも違った意味で僕を元気にさせてくれているのでしょうか？

＊残念なことに、
最近、この素敵エリアから
引っ越しをしてしまったんです。
でも冷麺のうまさは相変わらずです！

Yuchun Korean Restaurant
1159 Kapiolani Blvd.,Honolulu／808-589-0022／11：00-22：00／Map10（P236）

73 | Dukeのこと

Ⓐ ハワイに行ったことがある人なら、きっと誰もが目にしているだろうビーチに立つ銅像（その前で記念写真を撮る人も多いと思います。私は必ず撮ります！）。優しく広げた両手には、いつも必ずといっていいほどたくさんのレイがかけられています。彼の名は、デューク・カハナモク。世界にサーフィンを伝えた人として知られています。私はサーフィンのことはよくわからないけれど、この人の醸し出す雰囲気がたまらなく好き。優しそうで、強そうで、海の男って感じで。そんな彼の名をとったレストランがアウトリガーホテルの1階にあります。ワイキキの超ど真ん中的なそこは、あらゆるガイドブックに紹介されているにも関わらず、なぜだか比較的日本人が少ないところ。ホテルの入口からも、ビーチからも入って行けるラフなお店は、昼でも夜でもたくさんの人でにぎわっています。そこで私はのんびりランチを食べたり、サンセットを見ながら早めのディナーを食べるのが好き。あんまり遠くまで行くパワーがないとき、ホテルのすぐそばにこんないいところがあるなんて、とってもありがたい。エントランス付近に飾られた在りし日のデュークのさまざまな写真を眺めるのも、楽しいひとときです（いつもすごく混んでいるのですが、待ち時間にそれをずーっと眺めているとまったく飽きないのです）。メニューはステーキやマヒマヒをソテーしたものに、ライスが添えられたプレートものや、サラダ、ピザ、サンドイッチ、ハンバーガーといった類のものがメインです。

＊ワイキキビーチにモアナサーフライダーしかなかった頃……、いまから約100年前のハワイを舞台にした映画『ザ・ライド』という映画でもデュークのことが出てきます。
すごくベタな内容なのに、最後にはあふれる涙をおさえることができませんでした。
というか、号泣！
ハワイを愛する人、みんなに観てほしい映画です。
DVD化されたものもあります。
『THE RIDE〜Back to the Soul of Surfing』（キングレコード）。

Ⓜ デューク・カハナモク、「サーフィンの父」と呼ばれた男。そして偉大なるビーチボーイ。オリンピックにも水泳で出場し、見事金メダルをとった男。僕は大学時代、ハワイアナというハワイのことを勉強する授業を一般教養のひとつで取り、その論文の対象がデュークであったぐらい、偉大に思っている人のひとりなんです。そんな彼の銅像がワイキキクィーンズビーチにできたとき、「わっ、でかっ！」と思いました。やっぱり、偉大なるデュークです！

彼はハワイの人たちにとっても誇りです。ビーチボーイたちにとっても永遠の憧れです。サーファーにとってもサーフィンを世界に広げてくれた英雄です。

大きなデュークの銅像は地元の人たちにとっても、僕らサーファーにとっても、ワイキキを楽しんでいる皆さんにとっても、「誇り」だと思うんです！

だけど僕は以前、銅像の腕にぶら下がって記念撮影をしようとして、おまわりさんにめちゃ怒られたことがあります。ごめんなさい！！！　どっちにしろ、デュークは偉大なる男です。それにしてもあのときは怖かった……。

あっ、アカザワさんがすすめている映画、僕もすすめられて観させていただきました。それほどすごい映画ではないように思えたのですが、不覚にも思いっきりウェンウェン泣いてしまいました。く、くやしい……。

Duke's Waikiki
2335 Kalakaua Avenue, Honolulu
Outrigger Waikiki on the Beach 1F／
808-922-2268／
Breakfast 7：00-10：30, Lunch 11：00-15：00,
Dinner 16：45-22：00（Bar 11：00-24：00）／
Map10（P236）
Duke Kahanamoku Map10（P237）

74 | Hiltonのブックストア

Ⓐ 人の行動なんて日本にいるときも、ハワイにいるときもそうそう変わらないもんだなーと思う瞬間が本屋さんにいるとき。結局、どこにいても本屋さんをのぞくクセは変わらないみたい。ハワイでも、バーン＆ノーブルやボーダースといった新刊がドドーッと揃うところはもちろん、古本屋といったところも、ついつい入ってしまいます。

ヒルトンの中に入っている本屋さんにもステイしているときは必ず、そうでないときにも近くに行くと立ち寄ります。ホテルの中に本屋さんがあるってこと自体、趣味がいいなぁと思うのですが、ここは品揃えも結構はまるものが多し。ハワイに関するものは、絵本から資料めいたものまで。マップもオアフ全体から細かな町のものまでと、かなりの充実ぶり。昔、ここで古いフラのイラストを使ったポストカードがボックスに入ったかたちで販売されていましたが、それも相当かわいかったです（フラガールが描かれたポストカード30枚がセットになった「HULA HONEYS」というタイトルのもの。クロニクルブックスのものです。もったいないからいまでも1枚も使わずにとってあります）。先日どこかの雑誌のハワイ特集でもそのポストカードが扉ページに使われていたりして、そういえば、と思い出したのですが、ほんと、かわいいんです。

なんてものもみつかる趣味のいい本屋さん。ワイキキでもぶらりと散歩していると、いいものに出合えます。

Best Sellers Books and Music
2005 Kalia Road, Honolulu／808-953-2378／8：00-22：00／Map10（P236）

Mid-Pacific
CARNIVAL
Honolulu

Ni'ihau Shell Lei Lei pūpū o Ni'ihau
Ni'ihau shell leis are prized not only for their rarity and beauty but also for the intense labor that goes into their stringing. These tiny sea jewels are usually gathered during stormy winter months, when high surf washes them onto the shores. This lei was a gift of Dr. Peter H. Buck of Makaweli, Kaua'i, who obtained it from Ni'ihau Ranch in 1951.
Foraminifera Shell Lei
There are about 50,000 different species of foraminifera. The simplest forms are open tubes and more complex shell casings are divided into various chambers. Like coral, foraminifera may consist of organic compounds and particles, such as sand grains, which have cemented together.
Ivory and Shell Lei
Carved ivory is interspersed with orange shell disks in this exquisite Micronesian neckpiece. The band is wrapped with pandanus thread that is dyed black.
Nautilus Shell Lei
These pearly nautilus shells, attached by lengths of stiff vine to a braid of fiber, were worn as a head adornment. The lei was a gift to John LaFarge in 1890 during his travels in Samoa.

75 | Bishop Museum

Ⓐ 何度も何度も、何度も訪れても飽きない場所、ビショップミュージアム。いつも年間パスポートを買うかどうか、真剣に悩んでいるほど大好きな場所です。

カメハメハ一族、最後の直系子孫にあたるパウアヒ王女の夫チャールズ・リード・ビショップ氏が彼女が亡くなった後、追悼記念として建てたミュージアム。はじめは、王女が相続した王家伝来の美術工芸品を展示収集するところとしてあったのですが、だんだん、ハワイと太平洋地域に関する歴史的資料や文化遺産を含むコレクションが集まり、収められるようになったとか。とはいえ、やはり王族のコレクション関係のものを、かなり充実した状態で観ることができます！　カラカウア王の実際の声が入っているとされるテープ、なんてものもあるんですから興奮しますよね！それから王女様たちが身につけていたアクセサリー類を展示している部屋もステキです。いま、身につけてもまったく違和感がないくらいおしゃれで洗練されたデザインのアクセサリー類。貝殻のものが多いのですが、なかには犬歯もあったりして、ちょっと「おぉ～」と思うのですが、なんだかそれもおしゃれに見えてしまうんですよ、これがまた。

今回またまた訪れた目的は、なんと70年ぶりに公開された部屋があると聞いて。その部屋は1890年代に公開されていた当時のままを再現しているのだとか。ちょっぴり緊張しつつ、さっそくその部屋に入ってみました。

部屋の中はとても静かでしたが、張り詰めているのとは違う、ゆるやかで優しい空気が流れていました。展示されているのは絵画が中心。ところどころに置かれた年季の入ったコアのベンチが、当時の様子を物語っているかのよう。聞けば、そのベンチ、当時も同じようにここにあったのものなんだとか。私もそこに座って70年前と同じように、昔の人たちが描いた絵をじーっと眺めてみたりしました。絵はどれも静かな印象のもの。ハワイがいまよりももっと緑に覆われ、海もグッと深く青かった頃の絵。どれくらい眺めていたんだろう、と思って辺りを見まわしたら、マコトもおりえちゃんもすでに外に出た後でした。いつもお待たせしてすいません。

ビショップミュージアムはここのところずっとなんらかの工事をしていましたが、それもどうやら2009年夏には終わるよう。そして本館の1～3階まですべてがハワイのものを展示することになるのだそう（いままでは日本の古い着物なども飾られていました）。3階は王族をはじめとした個人のブース。そこに過去と現在といったかたちでコレクションを展示し、ひと目でその人の歴史がわかるようになるのだそうです。2階はハワイの日常生活に関するもの。そして1階はあの大きなクジラはそのままに、サメやカメなども加わる予定。いやぁ、楽しみです。

今回もまた充実した時間を過ごせたことに感謝し、最後に貝殻のレイが飾ってある大好きなガラスケース（中央階段を上がってすぐ左手のケース「Shell Leis of the Pacific」の前でしばらく時間を過ごし、ミュージアムを後にしました。

Bishop Museum
1525 Bernice Street, Honolulu／
808-847-3511／9：00-17：00,Tue Closed／
Map9（P234）

76 | Champa Thai

(A) はじめてマコトに連れてきてもらったときに、それはそれは感動した覚えがあります。「こんなにおいしいのに、こんなに安くていいの～！」ってことで。カイムキはロコたちにも愛されている､おいしいお店が多いことで有名な町。ほかにもいろいろおいしいところがありますが、「今日、何食べる～？」という話になると3日に一度はこの店の名前が出るほど。それくらい、私たちの間ではおいしくて安くて、頼りになるお店なのです。

(M) 気がつくと、ここのタイ料理が僕のおすすめのタイ料理になってました。それまでは、メコンⅡとか、プーケットタイとか、チェンマイとか、いろいろだったのですが、他とくらべて安くて、庶民的なタイ料理を味わえるということで、お気に入りになったのです。お酒も持ち込みができるので、みんなで近くのタムラストアーでお酒を買いたいだけ買って、クーラーボックスに入れてお店に持っていき、思いっきり飲むのです。家も近いし、安心して飲めるレストランなのです。ただ問題は予約です。これがいつもうまくいきません。予約をして「7時に、7人ね」と言って「オッケー、オッケー」と言われ、安心して行くと「はれっ？」。お店がいっぱいになっていて、予約したはずの席がないのです。どうも店側のざっくりした予測で「あ、このテーブルのお客さんが7時ぐらいに終わって帰るから、こっちの予約席に新しく来たお客さんを入れればいいかな」と思って入れ、僕らが予定通りやってきて、はじめて「あちゃっ、まだあのテーブルのお客さん帰らない～、計算違いだ～」ということになり、全然待たされたりしちゃうのです（笑）。そんなチャンパタイですが、それでもなんか好きなんです。

＊私は青いパパイヤのサラダが、一番好きです。
マコトはチキンウイングに
春雨が入ったから揚げを
いつも必ずといっていいほど注文します。
ここに来るときはなぜだかいつも
超腹ペコなことが多くて
注文し過ぎてしまうのですが、
それでも平らげてしまうくらい、
とってもとってもおいしいです。
でも、注文し過ぎは
注意したほうがいいかも知れません。
わりと量も多めですから。
2008年のバースデーは
ここでお祝いしていただきました。
ありがとうございました！

Champa Thai
2452 Waialae Avenue, Honolulu／808-732-0054／Mon-Sat 11：00-14：00･17：00-21：30,
Sun 17：00-21：30／Map10（P237）

77 | Kapiolani Parkから見るダイヤモンドヘッド

Ⓐ ダイヤモンドヘッド好きです。ホノルル空港に到着したときにも、まずは遠くにそびえ立つ姿を探してしまうほど。ホテルの部屋からも、できるだけ美しく見えるように、と考えて部屋を予約します。ドライブしているクルマの中からも、気が付くといつもあの姿を探している自分がいるのです。どうしてこんなに惹かれるのかは自分でもまだわからないままなのですが、あの美しい姿にはいつも惚れ惚れとさせられます。

あるときマコトが「カピオラニ公園から夕方見てみな。すっげ〜きれいだよ」と。言われたとおり、ある日の夕方、公園の真ん中に体育座りをして夕暮れを待ちました。まだ陽が沈むずいぶん前だったのですが、太陽の傾きとともに少しずつダイヤモンドヘッドに当たる光の位置が動き出

し、茶色だった表面の色がうっすら頬を赤らめたかのようなピンクに染まり出したのです。大きさも実際は変わってないはずなのに、どんどんこっちにズームアップしたかのような迫力。このことだったのか〜、とひとり感動。最後は熟れた柿のような橙色に一瞬なった後、また火が消えた炭のごとく濃い茶色にもどっていきました。部屋から何度も色が変わる姿を見てはきたものの、こう近くで見るとその迫力にかなり圧倒されます。大きな何かが私の中にグッと近づいてきたような、そんな不思議な感覚を覚えた夕暮れでした。

Map10（P.237）

CHAMPION
MALASADAS
60¢
ea

Ⓜ どっちがおいしい？　レナーズ？　それとも、チャンピオン？
その人によって味覚は違います。だからどっちともいえず、「どちらかというと、こっち」みたいな曖昧な表現しかできなかったりします。

このマラサダ対決は今も昔も、これからもローカルの人たちの間で続いていくのです。マラサダは単純な食べ物です。揚げパンに砂糖をまぶしてあるだけなのですから。だからこそ、この戦いはとっても難しいのです。

とにかく、両方を食べ比べてみてください。

僕は味というより食感で、チャンピオンのマラサダに1票入れてみましたが。

78 | Champion Malasadas

Champion Malasada
1926 S.Beretania Street, Honolulu／808-947-8778／Sun 6：30-19：00, Tue-Sat 6：00-21：00, Mon Closed／Map10（P236）

79 | Rainbow Drive-in

Ⓜ 僕にとって、レインボードライブインはなくてはならないものでした。学生のときからずっと食べ続けています。僕は誰がなんと言おうと、多分、ここのプレートが大好きなんです。

学生の頃は波乗りの帰りに寄り、なけなしのお金でチリプレートを買ってお腹を満たしたり、ちょっとお金があるときは奮発してミックスプレートを食べたりしていました。どちらかというと、味より量なのかも知れません。特にミックスプレートは相当大食いの人じゃないと食べきれない量です。フライにしたマヒマヒ、唐揚げっぽく揚げてあるチキン、味が濃いめのバーベキュービーフ、それにちょっとマヨネーズが多すぎ？　ぐらいのマカロニサラダとご飯が2スクープ。これがひとつのお皿にどかんっと盛ってあるのです。その味は本当の食通を唸らせるかもしれません。違った意味で……。でも何度も食べていくうちにクセになってしまい、微妙な、遠くのほうにあるおいしさをみつけてしまったりします。たとえば、マヒマヒにつけるタルタルソース。これこそ、そのいい例だと思います。一見、普通のタルタルソース、というよりマヨネーズに近いのですが、それをつけて食べているうちに「ん？　なんだこのうま味は？」という味に出くわします。言葉ではうまく表現できないのですが、食べ続けているうちに発見する、レインボーならではの「うま味」がそこに隠れているのです。そんなこんなで気づくと20年近く食べ続けているプレートランチになっていました。

レインボードライブインに行ったとき、おいしそうに、このざっくりとしたプレートを、思いっきり頬張っているローカルの人たちがいたら、その人たちが本当の食通です。そして、その人たちこそが本当のレインボーフリークで、レインボードライブインの看板をこんなふうに新しく替えさせ、お茶目にリニューアル（ちょっとだけ）させた張本人たちなのです。

レインボードライブイン、永遠（とわ）に⁉

Rainbow Drive-in
3308 Kanaina Avenue, Honolulu／808-737-0177／7：00-21：00／Map10（P237）

Rainbow
DRIVE-IN

80 | コオラウ山脈

Ⓐ ワイキキからカイルアの町へと続くトンネルを抜けたすぐ左手にその山脈は見えてきます。その逆、カイルアからワイキキへと戻るとき、右手にほんの一瞬見える山脈、それがコオラウ山脈。蛇腹のような細かく薄いうねりは自然でなければつくり出すことのできない、美しさをもっているように思います。トンネルをくぐる行き帰りだけではほんの一瞬しか見えませんが、ヌアヌパリの展望台からはゆっくりとその美しさが堪能できます。カメハメハ大王時代には戦いが繰り広げられたことでも有名な場所。深い谷は強風が吹くことでも知られています。いまは、カネオヘやカイルアの町が見渡せる美しい展望台ですが、ここから突き落としたり、突き落とされたりしていたと思うと、かなりゾッとする高さです。下を見るより、左手に広がる山脈を見に行くことをおすすめします。

Ⓜ 陸地に雨が降り続けます。その雨は低いところに集まり、少しずつ川をつくります。川はさらに低いところを目指して高い所からどんどん下りていきます。そして、やっぱり少しずつですが、陸地を削っていきます。すると、削られる場所とそうでない場所が分かれていきます。その削られていく場所は谷になり、削られない場所は丘になります。ちょうどそのプロセスの最中がこのコオラウ山脈の蛇腹のようなうねりをつくっているんだと思います。いずれはきっと日本の山々のような、なだらかな山や山脈になるのでしょう。そう、僕らが死んでそれから新しい生命が幾つも幾つも生まれ変わって……。なんて思いながら、青々とした空の下、この山脈の横を鼻歌まじりで今日も車を走らせます。フンフンフ〜ン。

Map7（P.232）

81 | Moana Surfriderの朝ごはん

Ⓐ いつもは朝ごはんを食べない私ですが、ハワイに来ると俄然朝ごはん食べる派になります。朝ごはんですから、宿泊先からそれほど離れていないところでとることも大事。もちろん、たまにはわざわざ、それを食べに行くということもいいかも知れませんが、毎回となると、せっかくの朝を楽しまないまま、ただがむしゃらに朝ごはん！　ってことになってしまうような気がするので。そんなわけで、たいがいはワイキキ付近でゆっくり済ませることが多い、オアフの朝ごはん。最近のお気に入りは、モアナサーフライダー「ザ・ベランダ」の朝ごはん。ブッフェスタイルとメニューと両方あるのですが、メニュー派の私も心揺さぶられるほど充実したブッフェはかなりおすすめです。和食もていねいに焼かれた焼き魚や卵焼き、味噌汁など日本のホテル顔負けの充実ぶりなんです。

私はベランダベネディクト$19（ジューシーなカルアピッグをハッシュケーキにしたものがハム代わりになった贅沢なものです）を、マコトはブッフェ$28で思いっきり和食を楽しみました。しかも目の前はワイキキビーチ！　朝早くからにぎわいをみせているビーチの様子を前に、むしゃむしゃとおいしい朝ごはんを頬張る幸せ。ん〜、たまりません。

Ⓜ ワイキキのホテルのブッフェが大好きです！

オムレツ、スクランブルエッグ、エッグベネディクト、パンケーキ、トロピカルフルーツ、ペーストリー、ハムいろいろ……などなど。でも、僕が選ぶのは、味噌汁、漬け物、しゃけ、のり、納豆、など、日本食系のものばかりです。たくさん食べた後、最後にご飯に味噌汁をかけて、ズズーッと平らげます。もしかしたら、まわりの外国人（あっ、僕が外国人だ）さんたちは、朝から下品と思っているかも知れません。でもおいしく食べるには、ごめんなさい、なのです。おそらくこの10年ぐらいでどのホテルもこの日本食をブッフェに加えてきたと思います。もしかしたら、僕がその前を知らなかっただけなのかも知れませんが。でも、そのおかげでワイキキのホテルの朝のブッフェが楽しくなりました。日本人である限り、日本食が一番で、それを異国の地で朝からたらふく食べれることは、本当に幸せだなと思います。

The Veranda
2365 Kalakaua Avenue,Honolulu／
808-922-3111／
www.moana-surfrider.com／Map10（P236）

Ⓐ ハワイにいるとあちこちで見かけるレイ。道行く人の首にも、ビーチで両手を広げているデューク像にも、キングカメハメハ大王像にも、リリウオカラニ女王像にも、レイがかけられています。日本でたとえると何に置き換えられるのかなぁ？　簡単にいうと花束のようなものなのでしょうか？　う〜ん、いやいやそれよりももっとあったかくて、それでいていつでも気持ちがあるときに渡すことができるようなラフさもあって、それとはまた別にちゃんとした儀式にも用いられたりする、とにかくハワイになくてはならないものだといつも感じます。

ハワイで誕生日を迎えることができた私に、マコトとおりえちゃんからこんなに美しいレイをいただきました。あまりにうれしくてドライにして大事に持ち帰ったほど。

大好きなふたりにもかけてもらって記念撮影！　美しいです！

＊左がいつもお世話になっているマコトの友人ハイディさん！　私たちの天使です。
右は私の友人エミコさんの娘さん、レイラニちゃん。レイが名前に入っているなんてステキです！

83 | Rainbow Books & Records

Ⓐ ワイキキからクルマで10分弱ほど。ダウントゥアースやコクアマーケットのすぐ近くにあるこのお店は、もともとはうちのダンナのお気に入り。もちろんいまでも大好きで、ハワイに行くと必ずといっていいほど出かける場所です。そんな場所が私にとっても重要になったのは、ダンナがレコードや古本をじーっくり見ている間の待ち時間から。周りのナチュラル系スーパーでの買い物はとっくに済ませてしまったし、ブラジル系水着屋さんもチェックしたし、さらに本屋さんの裏側のもちアイスも食べてしまったのに、店の扉を開けるとそこにはまだ、店内でうれしそうに座りこんでレコードを1枚、1枚見ているダンナがいたのです。そこで私も、負けじと1冊、1冊本を手に取ってみることに。そこから私もこの店にはまってしまいました。ハワイの花、魚、植物が、それぞれていねいなイラストとともに紹介されている教科書のようなものや、王朝のことが書かれた歴史もの、サーフィンの写真……。古い本棚にはそんなものがあちこちに積まれていました。町の人たちはペーパーバック的な本を求めることが多いようですが、私たち夫婦は古き良きハワイを探しに、毎度ここを訪れているのです。

Rainbow Books & Records
1010 University Avenue,Honolulu／
808-955-7994／
Mon-Thu & Sun 10：00-22：00,
Fri-Sat -23：00／Map10（P236）

FILE
MINDERS

大班點心
Small

84 チャイナタウンのお粥

Ⓐ ハワイでお世話になっている先輩ご夫婦がいます。日本でもお世話になっているのですが、ハワイに行くとさらにさらに図々しくお世話になっています。いつもおいしいものを食べさせてくれたり(ハワイの食材を使って、ご自身のコンドミニアムで料理を作ってくれるんです!)、紹介してもらったり……。そんなおふたりに連れて行ってもらったのが、このチャイナタウンにある飲茶屋さん。

朝早く行かないと、そのお粥がなくなっちゃうから、とにかく早く行こう! ということで、いつもより早く、といっても9時くらい(すいません、遅いですね)にお店に向かいました。チャイナタウンは、ワイキキとはまったく違った風景が楽しめます。もっと早い時間だと店の前の広場で太極拳をしてる人もいるそうで、それもなかなかおもしろそう。

お目当てのお粥は、とぼけた魚のイラストがついた土鍋にあふれんばかりに入ってきます。ほとんど米の形を残していないくらいまでとろりと煮込まれたお粥をスプーンですくい、口に入れてビックリ。やわらかな舌触りとともに入ってきたのは、しっかりとだしが含まれ太った米の味! 台湾でも香港でもここまでのお粥に出合ったことはありませんでした。ふたりは私の感動もよそに次はこれも食べて、あれもおいしいのよ〜と言いながら、飲茶を次々にオーダー。凄まじいまでのテキパキぶりに半ばついていけないまま、それでも与えられたものを次々と平らげ、店を後にしました。ごちそうになっておいてなんですが、値段の安さにも仰天! おいしくて安くて! なんてコストパフォーマンスに富んだ店なんでしょう。おふたりがここを知り、通うようになったのはハワイに留学していた娘さんの情報から。さすが、学生! 安くておいしいものを知ってます。

大班点心
100 N.Beretania Street #167,Chinatown Cultural Plaza,Honolulu／
808-599-8899／7：00-16：00／Map9(P235)

85 | Moana Surfriderのヒストリカルルームと Princess Kaiulaniのフロント

Ⓐ ハワイ王朝好きな私は、ビショップミュージアムにいるとき以外もいつもあちこちでその足跡を探しています。もちろん、ワイキキにいるときでもそれに変わりはなく……。

カピオラニ公園の入口やワイキキビーチのあちこちにある像でも、そんな気分を味わえますが、特にワイキキだったらココ！　という場所があります。それはモアナサーフライダーのヒストリカルルームとプリンセスカイウラニのフロント。あ、それからクイーンカピオラニというホテルも好きです。特に前出のふたつは、ただただそこに座ってぼーっと眺めているだけでも当時に思いを馳せることができる特別な場所。ヒストリカルルームには創業当時の写真やパンフレットが、その近くのウィンドーにはホテルで貸し出ししていたニットの水着などが展示されています。ヒストリカルルームにたどり着くまでの階段脇に飾られたワイキキビーチの写真も、またステキ。みんなとにかく格好良くて、惚れ惚れしちゃいます。プリンセスカイウラニのフロント辺りにも、カイウラニをはじめ、叔父と叔母でもあったカラカウア王やリリウオカラニ女王の写真が飾られています。

何度も何度もそれを観に行きます。そしてそれらを観ながら、いつも思います。いま、ハワイがこうして在ることを忘れずにいるホテルの姿勢がすばらしいなって。

Moana Surfrider Historical-room
2365 Kalakaua Avenue, Honolulu／
808-922-3111／
www.moana-surfrider.com／
Map10（P236）

Sheraton Princess Kaiulani
120 Kaiulani Avenue, Honolulu／
808-922-5811／
www.princess-kaiulani.com／Map10（P236）

86 | Safeway

Ⓐ 撮影の合間には、日々の買い物もします。そんなときの最近の強い味方がココ。以前まではフードランドやロングスに行くことが多かったのですが、ワイキキからすぐのカパフル通りにあるせいか、なにかとここへ足が向いちゃうみたいです。私は、部屋に戻ってから食べるフルーツとパンにつけるピーナッツバター（ハンドルをまわすとニューッと出てくるアレです）、それにオリジナルブランドのマカロニチーズを買いました。できたばかりだから店内もきれいだし、デリも充実してるしってことでかなり重宝しています。そうそう、そろそろカハラにナチュラル系のホールフーズマーケットがオープンしますよね。もうしましたっけ？

M はい、もうオープンしちゃいました、ホールフーズ。それでも僕はセイフウェイ派です！　でも、ホールフーズはもちろんですが、セイフウェイも他のスーパーに比べてちょっと値段設定が高めです。っていうより、他のスーパーより、間違いなく、高級なものがたくさんあるからそう感じるのだと思います。でも本当に良いものが多く、たとえば、ビールひとつとっても、僕が大好きなイギリス産のビールなんてものも、ちゃんとあるんです。それにシャンパンやワイン類も豊富で、どこか友達の家でパーティーがあるときにも、とっても便利です！　こんな素敵なスーパーがこのカパフル通りにできるとは、まったく予想していませんでした。いまとなっては、僕にとってなくてはならないスーパーです。

ワイキキからもちょっと頑張れば歩ける距離です。ぜひ、一度、せめてキッチン用品のセクションだけでものぞいてみる価値はあると思います！

Safeway
877 Kapahulu Avenue,Honolulu／
808-733-2600／
24 hours／Map10（P237）

87｜旬Bistroのオリジナルロール

Ⓜ ここは弁慶さんが切り盛りする日本食屋さん。弁慶さんが考えるお寿司は、どれも最高です。もちろん普通のおいしいお寿司もあるのですが、弁慶さんがちょっと手を加えた旬オリジナルのお寿司がまた格別なんです。なかでもいつも食べたくなって結局注文してしまうものがあります。それが、ハネムーンロールとワイキキロール。かわいらしい名前もいいのですが、それよりもなによりも、このロールのネタの組み合わせが絶妙なんです。ハネムーンロールは食感が残るぐらいのせん切りにした山芋と、その他にもいろいろ元気が出るものが入っていて、さらにその上にウニがのっているというものです。これはかなりおいしいです。ワイキキロールは絶妙なバランスのネタを巻きこんだ上に、いくらをのせたもの。

と、いろいろとか、絶妙とか連発していますが、実は……、いつも夢中で食べちゃって、ちゃんと中に何が入ってるのか、よくわかんないまま、食べちゃってます。ごめんなさい。

でもとにかく、ここのお寿司はとーってもおいしいです。

あっ、そうなんです。僕はお寿司が大好きで、何かのときには必ずお寿司です。仕事が一段落したときも、うちのスタッフみんなで集まるときも、ハワイから日本に行く前夜も、日本に到着した日の夕飯もお寿司なのです。その逆もしかりで、日本にいても絶対週に一度はお寿司を食べに行きます。とにかく、大のお寿司好きなのです。僕にとって他とは違う特別なお寿司を出してくれるところが、この弁慶さんのところの「旬ビストロ」なのです。

いつもありがとうございます、しょっちゅう行けなくてごめんなさい。

どうかこれからも宜しくお願い致します。

旬Bistro
1914 S.King Street,Honolulu／808-941-1333／Tue-Sat 17：30-23：30, Sun -22：00, Mon Closed／Map10（P236）

88 ノスタルジックな車

Ⓜ クラシックカーは、僕にとってどんな新車よりも魅力的に思えます。でも、実際に買ってしまう車は、設備が最先端で燃費がよく、乗っていて居心地のいい車なのです。お金に余裕があれば、絶対、セカンドカーはクラシックカーにしたいのですが……。なかでも、専門の人にいわせたら、本当に中途半端なクラシックカーかも知れませんが、フォードブロンコ1が、昔から僕の憧れです。もうひとつやわらかいラインのフォードのピックアップトラックも大好きです。この車は僕が学生時代からいつか絶対に乗ってやると思っていた車なのです。

はじめてハワイに来た当時は300ドルで譲ってもらった1978年型のサンダーバードに乗っていました。この車はなんとサーフボードがトランクに入ってしまうのです。しかもかる〜く。とにかく、そのポンコツ車に乗って町をうろちょろしていると、大きな4WDの車からときおり、見下ろされるのです。それが、このフォードブロンコ1でした。その存在だけでも相当威圧感があり、すっごくガスを食うだろうなと思える排気音で、まわりを威圧していました。しかも大きいのに2ドア。それもこの車の格好良さを維持するためのものなんだろうなあ。と、勝手にデザイナーさんの気持ちを想像したりして……。いまでもこの車を見ると、ゾクゾクッとします。

アメリカの車会社はいまどこも不景気だそうです。きっとこれを打破するには、昔のデザインの車を復刻し、内面を最新設備にして売り出せばいい！　と僕は思います。クラシックのアメ車は、僕らにとって永遠の憧れでいてほしいと思います。乗ってる車は「日本車」ですが……。

COAST
MARINE

This is the best place
to see the sunset !

89 | The Beach Bar

Ⓐ ここへは本当によく来ます。夕暮れ時には特に。あまりおなかがすいてないとき、「今日の夕食、どうする？」なんて悩んだときにも、ここは最適。ちょっとつまむにもおいしい軽食が充実しているし、夕暮れのワイキキビーチを独り占めしたような気分にさせてくれる景色も広がっているんですから。

ディナーの前に海を見ながら1杯やろうって人たちが、そろそろと集まってくる様子や、真ん中のバーカウンターに少しずつ明かりが灯りはじめる感じ、桜色に染まった空と深い紫色になっていく海、そのどれもが合わさって1枚の絵のようにおさまる瞬間、ここでビールを飲みながら「ぷはっ」としていると、最高に幸せだなと思うのです。おつまみは、フィッシュ＆チップスが特におすすめ。ジューシーな白身魚がカラッと香ばしく揚がっていて、それはそれはおいしいです。タルタルソースの酸味もちょうどいい！　絶対おすすめです！

＊ワイキキのど真ん中は
なんとなく敬遠されがちですが、
まだまだいいところはいっぱいあります。
ここはその筆頭です！

Ⓜ気持ち良い、夕方を過ごしたいのなら、絶対、こういうところでゆったりビールでも飲みながら過ごすべきです！　僕は、ここの気持ち良い風と、ゆったり流れる時間が大好きです。まわりにいる人たちも、自然にここで流れてるゆるやかな時間を楽しんでいるし。夕暮れになるといつのまにかフラダンサーがフラを踊り、その中心にある大きな大きなバニヤンツリーは、気持ち良く楽しんでいる僕らをちゃ～んと見ててくれて……。なんか「あっ、守られてる！」みたいな気持ちになって、もっとビールを飲んじゃったりしちゃうくらい、です。

ハワイって、こうがいいと思うんです。無理にあっちこっち行かなくても、こんな近くにこんな素敵な場所があるんだ！　って思えるところが、いっぱいあると思うんです。ゆったりと椅子に座って「あ～あ～、いつまでもこうしてたいな～」って思えるのが、本当のハワイだと、僕はいつも思っています！

The Beach Bar
2365 Kalakaua Avenue, Honolulu／808-922-3111／10：30-24：30／Map10（P236）

90 | これからのハワイ

Ⓐ ワイキキだけでなく、ハワイ島でもいま、たくさんの工事が進んでいます。タイムシェアやコンドミニアムもいままで以上にボコボコ建ってきました。それはそれでいいようにも思いますが、やっぱり私のなかでは変わらない風景であってほしい場所もたくさんあります。ワイキキビーチから望むダイヤモンドヘッドや、町の古本屋さんやレコード屋さん、ダイナーの使い込まれた鉄板や派手な花柄の制服に身を包んだおばあちゃんウェイトレスさん、海と空の青、木々の緑……。挙げればキリがないほど、ハワイの美しさやキュートさ、おおらかさ、すべてが消えてなくならないように、ただそれだけを願います。便利じゃなくても、気持ち良く過ごせれば、ハッピーでいられるんじゃないかな、と自分自身にもいつも言い聞かせています。ハワイがずーっとそんな場所であり続けてくれますように！

Ⓜ この20年以上、ハワイの変化を目の当たりにしてきました。悲しい変化もあれば、うれしい変化もたくさんありました。小さい変化もあれば、大きな変化もありました。でも、人も町も、なんでも成長することでその代わりとなることが生まれてしまいます。それにどう対応していくかで、その次の成長が変わってくると思うし、つながっていくとも思うのです。ハワイはちゃんとみんなから愛されるように、成長しているように思います。投資目的で次から次に、ニョキニョキ延びているコンドミニアム（といいつつ、実は住みたいです）、観光客の数を増やすために、ムダなことをしているように思えるワイキキ開発、つぶれそうなのに、大きくなったアラモアナセンター……。みんなが幸せになるように、そしてその幸せを、ちょっとだけわけてもらえるように、ハワイと、そこに住んでいる人たちは、頑張っているように思うんです。そして、そこにはいわゆる「アロハスピリット」が存在しているのかも知れない、と思うのです。

Big Island & Oahu Map

Map-1 | Big Island ハワイ島

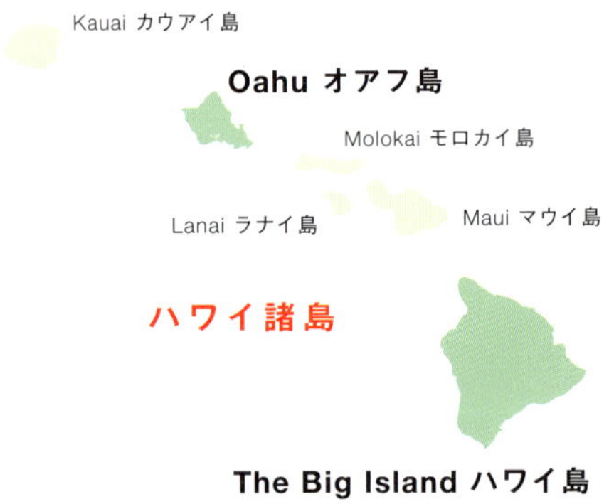

Kauai カウアイ島
Oahu オアフ島
Molokai モロカイ島
Lanai ラナイ島
Maui マウイ島
ハワイ諸島
The Big Island ハワイ島

カメハメハ大王像
HAWI
ハヴィ
Map-2
270
Hapuna Beach (P120) 48
ハプナ・ビーチ
Hilton Waikoloa Village (P100) 41
ヒルトン・ワイコロア・ヴィレッジ
ダラーレンタカー
Mamalahoa Hwy
19
190
49 Kona Village Resort (P124)
コナ・ヴィレッジ・リゾート
コナ国際空港 / ダラーレンタカー
KAILUA-KONA
カイルア・コナ
Map-4
フリヘエ宮殿
Teshima's Restaurant (P14/P109) 04 42
テシマズ・レストラン
KEAUHOU
ケアウホウ
Manago Hotel (P22) 07
マナゴ・ホテル
CAPTAIN COOK
キャプテン・クック
The Coffee Shack (P16) 05
ザ・コーヒー・シャック
HONAUNAU
ホナウナウ
Pu'uhonua o Honaunau 08
National Historical Park (P24)
プウホヌア・オ・ホナウナウ国立歴史公園
11
Desert Rose Cafe (P110) 42
デザート・ローズ・カフェ
Shirakawa Motel (P30) 11
シラカワ・モーテル
Hana Hou Restaurant (P34/ P106) 13 42
ハナ・ホウ・レストラン

38 Short N Sweet Bakery and Cafe (P94)
ショート・エヌ・スウィーツ・ベーカリー・アンド・カフェ
35 Mi Ranchito (P89)
ミ・ランチート
Union Mill Rd
Kohala Book Shop (P86) 34
コハラ・ブック・ショップ
270
Akoni Pule Hwy
Kamehameha Rd
Ainakea Dr
35 アイスクリーム屋さん (P88)
Kynnersley Rd
King Kamehameha Original (P92) 37
カメハメハ大王像
Iole Rd
HawiのLibrary (P90) 36
ハヴィの図書館

Map-2 | Hawi ハヴィ

Map-3 | Honoka'a

ホノカア

●ダラーレンタカー日本総代理店　(株)アクセス
03-3595-7855、FAX03-3595-7822、
フリーダイヤル0120-117-801／
9：30－17：30／土曜、日曜、祝日 Closed／
http://www.dollar.co.jp／Map1（P228）、
Map4（P230）、Map7（P233）、Map10（P236、237）

02 49 King Kamehameha's Kona Beach Hotel (P10/P124)
キング・カメハメハズ・コナ・ビーチ・ホテル
ダラーレンタカー
KAILUA-KONA
Palani Rd
19
190
Henry St
01 42 Big Island Grill (P8/P110)
ビッグ・アイランド・グリル
Mokuaikaua Church
モクアイカウア教会
Old Kona Airport
Hulihee Palace
フリヘエ宮殿
Hualalai Rd
Hie nakoli Rd
Mamalahoa Hwy
Royal Kona Resort Hotel (P12) 03
ロイヤル・コナ・リゾート・ホテル
Kahakai
Walua Rd
Hualalai Rd
182
Kahului Bay
Ali'i Dr
11
Inaba's Kona Hotel (P20) 06
イナバズ・コナ・ホテル
Kimura Lauhala Shop (P26) 09
キムラ・ラウハラ・ショップ
Kuakini Hwy
Holualoa Bay
180
Map-4 | Kailua-Kona カイルア・コナ
Ali'i Dr
Kamehameha III Rd

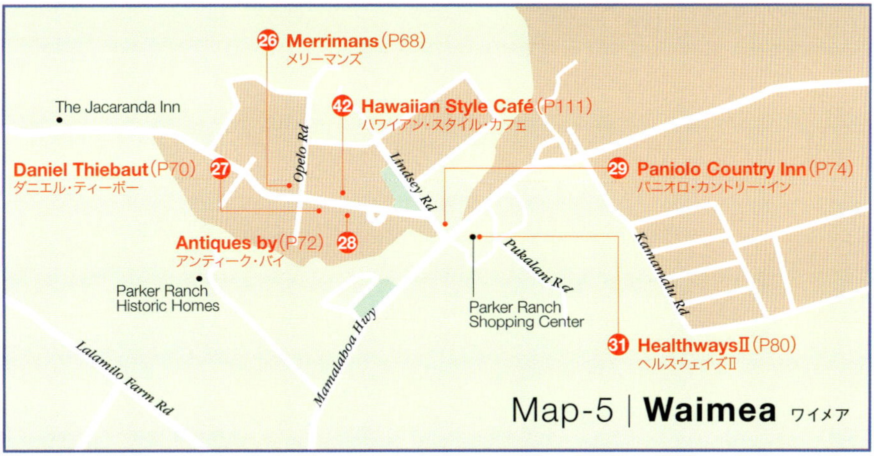
Map-5 | Waimea ワイメア
26 Merrimans (P68)
メリーマンズ
42 Hawaiian Style Café (P111)
ハワイアン・スタイル・カフェ
The Jacaranda Inn
Daniel Thiebaut (P70) 27
ダニエル・ティーボー
29 Paniolo Country Inn (P74)
パニオロ・カントリー・イン
Opelo Rd
Lindsey Rd
Antiques by (P72) 28
アンティーク・バイ
Pukalani Rd
Kamamalu Rd
Parker Ranch
Historic Homes
Parker Ranch
Shopping Center
31 HealthwaysII (P80)
ヘルスウェイズII
Lalamilo Farm Rd
Mamalahoa Hwy

Map-6 | Hilo ヒロ
Hilo Seaside Hotel (P46) 18
ヒロ・シーサイド・ホテル
Hawaii belt Rd
Hilo Farmers Market (P44) 17
ヒロ・ファーマーズ・マーケット
Naniloa Volcanoes Resort (P46) 18
ナニロア・ヴォルケーノ・リゾート
Wainaku St
19
Hilo Bay
Liliuokalani Gardens
リリウオカラニ庭園
Banyan Dr
Low International (P42) 16
ロウ・インターナショナル
Bayfront Hwy
Kalani
Waianuenue Ave
Haili St
Kuawa St
Kalanikoa St
Pauahi St
Kilauea Ave
Plantation Memory (P52) 20
プランテーション・メモリー
Ponahawai St
Piilani St
Hilo International Airport
ヒロ国際空港
Ken's House of Pancake (P107) 42
ケンズ・ハウス・オブ・パンケーキ
Kinoole Ave
Hilo Lanes (P132) 52
ヒロ・レーン
42 Cafe100 (P106)
カフェ100
Laukapu St
Kanoelehua Ave
E. Lanikaula St
11

Map-7 | **Oahu** オアフ島

NORTH SHORE
ノース・ショア
KAHUKU
カフク
Keiki Beach Bungalows (P186) 71
ケイキ・ビーチ・バンガロー
83
HALEIWA
ハレイワ
KAENA
カエナ
Koolau Range (P204) 80
コオラウ山脈
MAKUA
マクア
99
• ドール・プランテーション
WAHIAWA
ワヒアワ
750
H-2
PEARL CITY
パール・シティ
NANAKULI
ナナクリ
WAIPAHU
ワイパフ
H-1
93
Jelly's Aiea (P168) 64
ジェリーズ・アイエア
KAPOLEI
カポレイ
Surfbord Factory Outlet Hawaii (P152) 59
サーフボード・ファクトリー・アウトレット・ハワイ

Kainalu Dr
Agnes's Portuguese Bake Shop (P166)
アグネス・ポルティギーズ・ベイク・ショップ
63
Kihapai St
Oneawa St
Keaniani
Maluniu
70
Muumuu Heaven (P184)
ムームー・ヘブン
Kailua Rd
Hekili St
Boots&Kimo's (P154)
60
ブーツ&キモズ
61
Map-8 | Kailua カイルア
LAIE
ライエ
ポリネシア文化センター
83
KAHANA
カハナ
836
KANEOHE
カネオヘ
Map-8
KAILUA
カイルア
H-3
55
Lanikai Beach (P142)
ラニカイ・ビーチ
63
Map-9
61
72
H-1
HONOLULU
ホノルル
Map-10
HAWAII KAI
ハワイ・カイ
ノルル国際空港
ダラーレンタカー
WAIKIKI
ワイキキ
ハナウマ湾
ダイヤモンドヘッド
ワイキキ・ビーチ

Bishop Museum（P194）75
ビショップ・ミュージアム
Bernice St
N School St
63
78
Kaua St
H-1
54 Bob's Big boy（P141）
ボブス・ビッグ・ボーイ
78
N King St
Annex Rd
Middle St
Kalihi St
Waiakamilo Rd
Mapunapuna St
Kaumualii St
Dillingham Blvd
Ahua St
Puuhale Rd
Mokauea St
Kalani St
Costco（P178）68
コストコ
Nimitz Hwy
92
H-1
Auiki St
Lagoon Dr
Kapa
64
Sand Island Access Rd
ホノルル国際空港
Keehi Lagoon

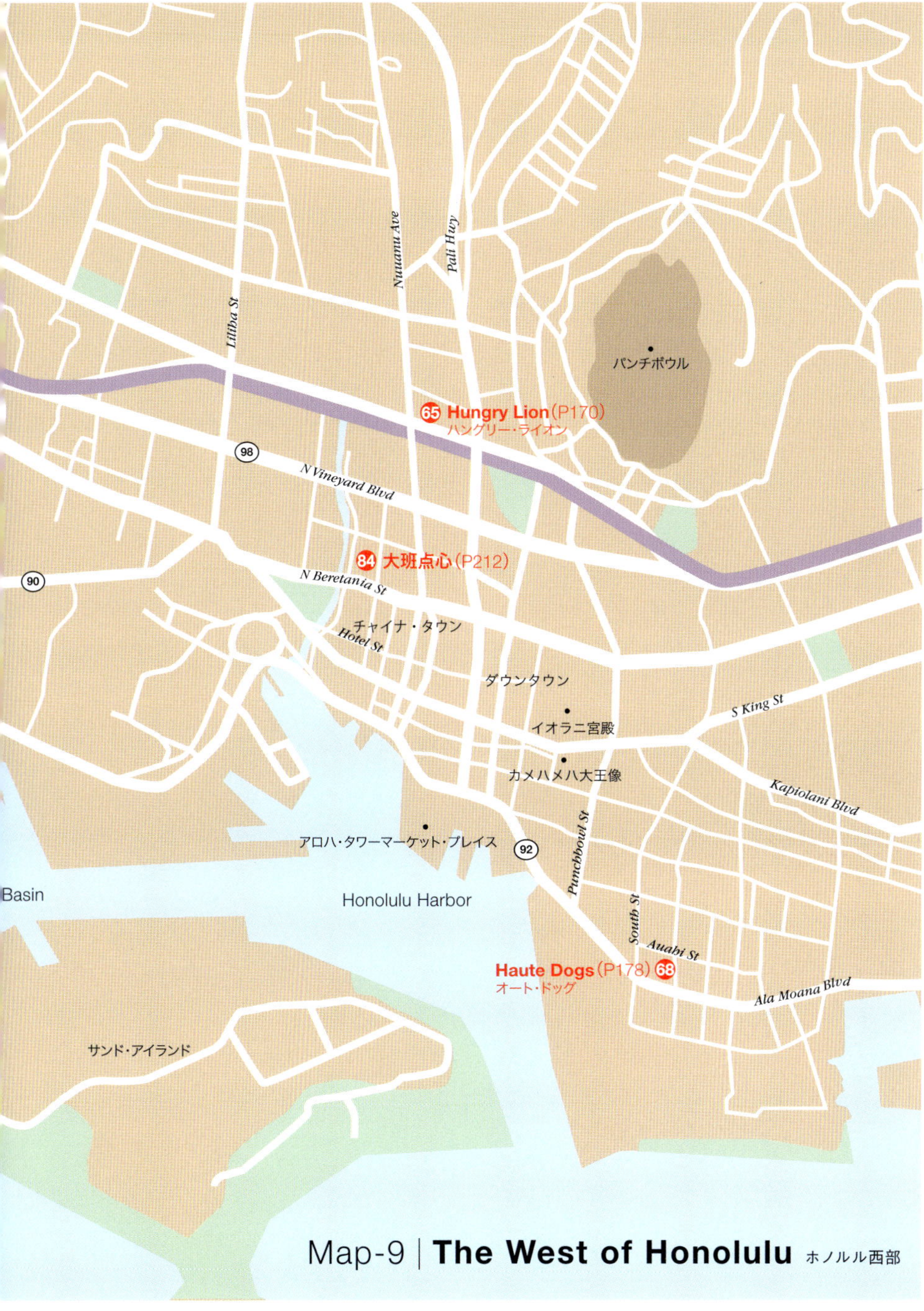

Lilliha St
Nuuanu Ave
Pali Hwy
パンチボウル
65 Hungry Lion (P170)
ハングリー・ライオン
98
N Vineyard Blvd
84 大班点心 (P212)
90
N Beretania St
チャイナ・タウン
Hotel St
ダウンタウン
イオラニ宮殿
S King St
カメハメハ大王像
Kapiolani Blvd
アロハ・タワーマーケット・プレイス
92
Punchbowl St
Basin
Honolulu Harbor
South St
Auahi St
Haute Dogs (P178) 68
オート・ドッグ
Ala Moana Blvd
サンド・アイランド

Map-9 | The West of Honolulu ホノルル西部

ハワイ大学
Rainbow Books & Records (P210) 83
レインボー・ブックス&レコーズ
Babbies (P172) 66
バビーズ
Punahou St
H-1
78 Champion Malasadas (P200)
チャンピオン・マラサダ
87 Shun Bistro (P220)
旬ビストロ
Beretania St
Hauoli St
University Ave
Laau Date St
S King St
72 Yuchun Korean Restaurant (P188)
ユッチャン・コリアン・レストラン
54 Like Like Drive Inn (P140)
リキ・リキ・ドライブ・イン
Keeaumoku St
McCully St
Kalakaua Ave
Ala Wai Blvd
Kapiolani Blvd
Seven Eleven (P178) 68
セブン・イレブン
ダラーレンタカー
アラモアナ・センター
Sheraton Princess Kaiulani (P216) 85
シェラトン・プリンセス・カイウラニ
Ala Moana Blvd
Kalia Rd
67 Old Navy (P176)
オールド・ネイビー
Duke's Waikiki (P190) 73
デュークス・ワイキキ
68 Orange Juce (P178)
オレンジ・ジュース
68 Ewa Concession (P178)
エバ・コンセッション
Royal Hawaiian Hotel (P144) 56
ロイヤル・ハワイアン・ホテル
Hilton Hawaiian Village 61
Beach Resort&Spa (P158)
ヒルトン・ハワイアン・ビレッジ
The Veranda (P206) 81
ザ・ベランダ
Best Sellers Books and Music (P192) 74
ベスト・セラーズ・ブックス・アンド・ミュージック
Moana Surfrider
Historical-room (P216) 85
モアナ・サーフライダー・
ヒストリカル・ルーム
The Beach Bar (P224) 89
ザ・ビーチ・バー
Map-10 | Waikiki ワイキキ

Umeke Market Natural Food&Deli（P148）57
ウメケ・マーケット・ナチュラル・フード&デリ
76 Champa Thai（P196）
チャンパ・タイ
Koko Head Ave
8th Ave
58 Sconees Bakery（P150）
スコーン・ベーカリー
Waialae Ave
68 W&M（P178）
ダブル&エム
Harding Ave
54 Victoria Inn（P138）
ヴィクトリア・イン
Kapahulu Ave
Maunaloa Ave
86 Safeway（P218）
セーフウェイ
Kilauea Ave
Winam Ave
68 Tesoro（P178）
テゾロ
Castle St
Alohea Ave
79 Rainbow Drive-in（P202）
レインボー・ドライブイン
ood Mart（P178）68
ード・マート
Kanaina Ave
73 Duke Kahanamoku（P190）
デューク・カハナモク像
ダラーレンタカー
ホノルル動物園
Monsarrat Av
ワイキキ・ビーチ
77 Diamond Head（P198）
ダイヤモンドヘッド
77 Kapiolani Park（P198）
カピオラニ・パーク
Diamond Head Rd

Big Island & Oahu イベントカレンダー

[1月]

●中旬「ソニー・オープン・イン・ハワイ」(オアフ)／毎年大きな注目を集める年始のゴルフ・トーナメント。ホノルルの東、高級住宅地カハラにある海沿いの名門コース、ワイアラエ・カントリー・クラブにて開催。

[2月]

●中旬「SBSオープン・アット・タートルベイ」(オアフ)／オアフ島の人気コース、タートルベイ・リゾートでシーズンはじめに開催されるLPGAツアー・トーナメントのひとつ。

●中旬「グレート・アロハ・ラン」(オアフ)／アロハ・タワーからアロハ・スタジアムまでの約13kmのマラソンや子どもやシニア向けのラン＆ウォーキングなどが行われる。

[3月]

■中旬「コナ・ブリュワーズ・フェスティバル」(ビッグアイランド)／ハワイはもちろんアメリカ本土からのビール醸造所が一堂に集うイベント。約60種類ものビールが味わえるほか、レストランの出店も。

●中旬「ホノルル・フェスティバル」(オアフ)／文化や芸能を通じて日本をはじめとするアジア諸国とハワイや環太平洋地域の交流を深めることを目的としたイベント。

■下旬「ビッグ・アイランド・インターナショナル・マラソン」(ビッグアイランド)／世界でもっとも美しいコースといわれるヒロ湾の海岸線に沿って走る、ビッグ・アイランドのマラソン大会。26.2マイルのフルマラソンのほか、10.8マイルラン、3.1マイルラン＆ウォークも同時開催。

[4月]

■中旬「メリー・モナーク・フェスティバル」(ビッグアイランド)／メリー・モナーク とは、カラカウア王のニックネーム。陽気な王様を意味するニックネームをもつ王様がハワイ伝統文化であるフラを復活させた話は有名なこと。その功績をたたえ、王様のニックネームを冠に行われるフェスティバル。

■中旬「コナ・アースデー・フェア」(ビッグアイランド)／地球環境をテーマに、リサイクルアートの展示や子ども向けのワークショップなどが行われる。

●下旬「ハワイ・キルト・ギルド・ショー」(オアフ)／ハワイ・キルト・ギルド主催のハワイアン・キルトの展示会。古典から現代ものまで、100点以上のハワイアン・キルトが展示される。

[5月]

●上旬「レイ・デー・セレブレーション」(オアフ)／メイ・デーにかけて行われる毎年恒例のイベント。レイの女王の選出やレイコンテスト、セレモニーを開催。

●下旬「ランタン・フローティング・ハワイ」(オアフ)／多民族、多宗教のハワイならではの毎年恒例のイベント。 民族や宗教を超えて平和を願って灯籠が流される。

[6月]

●上旬「まつり・イン・ハワイ」(オアフ)／環太平洋諸国の国際親善と理解の促進を目的に、パレードやブロックパーティーなどを開催。

●中旬「キング・カメハメハ・セレブレーション」(オアフ)／キングカメハメハ大王をたたえるお祝いのイベント。ダウンタウンにある像には5m以上もあるレイが幾重にもかけられる。2日目のフローラル・パレードなど各種イベントも開催。

●下旬「キング・カメハメハ・フラ・コンペティション」(オアフ)／ハワイ全島からはもちろん、日本からも多くのハラウが参加する、国際的なフラ競技会。

■下旬「コナ・マラソン」(ビッグアイランド)／コナ・コーストを舞台に行われるマラソン・イベント。ビッグアイランド独特の黒い溶岩台地を走り抜けて折り返すフルマラソンのほか、ハーフマラソン、ファミリー・マラソンなども。

●下旬「フラ・ウィーク」(オアフ)／ハワイを代表する伝統文化「HULA(フラ)」を満喫できるイベント。7月中旬までの期間中、現地のハラウ(フラグループ)によるフラ・ショー「ホオラウレア」がほぼ毎日開催される。ステージは観るだけでなく、無料で参加も可能。

[7月]

●■上旬「独立記念日」(ハワイ全島)／ハワイ各地でパレードが行われたり、打ち上げ花火が上がったりと、さまざまなイベントが繰り広げられる。

●中旬「フラ・ホオラウナ・アロハ」(オアフ)／有名なフラ指導者たちも審査員として名を連ねる、フライベント。毎年、日本からのフラダンサーもたくさん参加することで有名。

●中旬「ウクレレフェスティバル」(オアフ)／カピオラニ・パークで行われる、ウクレレ三昧のフェスティバル。トップミュージシャンによる演奏のほか、子どもたちの発表会なども。

●下旬「コロア・プランテーション・デー」(オアフ)／ロデオ、クラフトフェアのほか、各種スポーツイベントを開催。

100人以上のクムフラとフラ関連の工芸家、教育者たちが一堂に集まる。

[8月]

●**上旬「ナ・フラ・フェスティバル」(オアフ)**／1941年から続いている伝統ある、フラ・フェスティバル。地元のハラウが多数出場する。

●**中旬「メイド・イン・ハワイ・フェスティバル」(オアフ)**／ハワイ各島から集まった、メイド・イン・ハワイの特産品やクラフトを展示販売する。

●**下旬「デューク・カハナモク・オーシャン・フェスト」(オアフ)**／ワイキキに建つデュークの像へレイの献花セレモニーが行われるほか、さまざまなスポーツイベントが開催される。

■**下旬「ハワイ・スラッキー・ギター・フェスティバル　コナスタイル」(ビッグアイランド)**／ハワイのトップレベルのスラッキー・ギター奏者による演奏が楽しめるイベント。

[9月]

●■**中旬「アロハ・フェスティバル」(ハワイ全島)**／ハワイの歴史、文化をテーマに、各島でパレードや野外縁日が行われる。

■**中旬「テイスト・アット・ハワイアン・レンジ」(ビッグアイランド)**／ハワイ産の肉や新鮮な野菜を使った、さまざまな料理を食することができるイベント。

●**下旬「ホノルル・センチュリー・ライド」(オアフ)**／オアフ島を自転車で走る、ファン・ライド・レース。30km～160kmまで6つのコースが設定され、ビギナーから高齢者までチャレンジできるようになっている。

[10月]

●**上旬「テイスト・アット・カポレイ」(オアフ)**／ワインのテイスティングやハワイの有名シェフによる食事、ファーマーズマーケットなどが楽しめるイベント。

■**中旬「アイアンマン・ワールド・チャンピオンシップ」(ビッグアイランド)**／1878年に世界で初めて開催されたトライアスロンとして、毎年行われている大会。世界50カ国からは約1800人のアスリートが集まるといわれている。

●**下旬「ハロウィン」(オアフ)**／ユニークな衣装に身を包んだ人たちのパレードは必見。屋台や工芸品を販売する出店も数多く出店される。

[11月]

■**上旬「コナ・コーヒー・カルチュラル・フェスティバル」(ビッグアイランド)**／コナ地帯で行われる、恒例のイベント。期間中はホテルや各農園でコーヒーのテイスティングやコーヒーラベルコンテスト、豆摘みコンテストなどが行われる。

■**上旬「モク・オ・ケアヴェ・インターナショナル・フラ・フェスティバル」(ビッグアイランド)**／ワイコロアで2006年から開催されているフラ・イベント。コンペティション、ワークショップのほか、フラグッズやキルトの販売も。

●**中旬「インターナショナル・ワイキキ・フラ・カンファレンス」(オアフ)**／世界中の人に、フラのすべてを学んでもらおうというテーマで、はじまったイベント。現代フラ、古典フラ、フラの楽器、歴史、レイ、ハワイ語などのワークショップを中心にフラを満喫できる。

●**中旬「ワールド・インビテーション・フラ・フェスティバル」(オアフ)**／地元ハワイに加え、アメリカ本土、グアム、メキシコ、日本のハラウが参加する国際的なフラの祭典。

[12月]

●**上旬「ホノルル・シティ・ライツ」(オアフ)**／ダウンタウンのホノルル・ハレにある約20mの巨大なクリスマスツリーの点灯式を合図に、ホノルルの街中が一カ月間にわたり、イルミネーションで彩られる。

●**中旬「ホノルルマラソン」(オアフ)**／世界最大級の市民マラソン大会。フルマラソンのほか、アラモアナからカピオラニまでの10kmを歩くレースデー・ウォークなども同時開催。

●**下旬「ニューイヤーズ・セレブレーション」(オアフ)**／新年を祝う一大イベント。ホノルルのホテルを舞台ににぎやかに繰り広げられるカウントダウン・パーティやアロハ・タワー・マーケット・プレイス周辺で打ち上げられる花火など各地でにぎやかなイベントが行われる。

＊ハワイ州観光局

東京都港区東新橋1-8-3　汐留アネックスビル7F／TEL03-3573-2511、FAX 03-3573-2512／ラウンジ営業時間 9：30-12：00・13：00-17：30 ／土曜、日曜、祝日 Close／http://www.gohawaii.jp

ハワイ州観光局のラウンジでは、ハワイに関する情報、冊子の無料配布、ハワイに関する情報が掲載された雑誌、書籍などの閲覧ができます。

・●はオアフ、■はビッグアイランドでの開催を表します。

・上記は2009年5月現在の情報です。イベント開催日、時間、場所などについては変更される場合があります。イベント詳細は、ハワイ州観光局HPの「イベントカレンダー」まで。

赤澤かおり（あかざわ・かおり）
出版社にて雑誌、書籍の編集を経てフリーの編集者に。料理を中心に暮らしまわりのことを編集するほか、ライフワークである旅についても熱い思いを執筆し続けている。時間ができるとすぐハワイに出かけてしまう、ハワイをこよなく愛する編集者。内野亮との共著に『Aloha Book』（六耀社）がある。

内野亮（うちの・まこと）
ハワイおよびアメリカ国内での、雑誌、写真集、テレビなどの取材＆撮影のコーディネーションや取材業務全般を請け負う、アクシィコーディネーションサービスを友人と主宰。大学からハワイへと移り住み、ハワイと日本を行き来する生活を含め、今年で23年目。ハワイをこよなく愛する、サーファーお父さん。赤澤かおりとの共著に『Aloha Book』（六耀社）がある。

Hawaii Book ハワイブック
Aloha from Big Island & Oahu
2009年5月30日発行　第一版第一刷発行

著者　赤澤かおり／内野 亮
撮影　市橋織江
編集　桑原 勲（枻出版社）
ブックデザイン　茂木隆行
イラスト　原田ゆき子
マップ　筧 実

協力　ハワイ州観光局
Hilton Waikoloa Village
Hilton Hawaiian Village Beach Resort&Spa
ダラーレンタカー
Accy Cordination Service
久保万紀恵

発行人　角 謙二
発行・発売　株式会社 枻（えい）出版社
〒158-0096
東京都世田谷区玉川台2-13-2
編集部 TEL 03-3708-1869
販売部 TEL 03-3708-5181

印刷所・製本　三共グラフィック株式会社

http://www.ei-publishing.co.jp

ISBN978-4-7779-1353-4
Printed in Japan

本書に掲載されている内容ならびに価格、住所、電話番号、webサイトなどのデータは2009年5月現在のものです。